Ante, Elisabeth

Sprachl. Untersuchung der Mysterien La Passion d'Arnoul Greban, Siege d'Orleans,

Ante, Elisabeth

Sprachl. Untersuchung der Mysterien La Passion d'Arnoul Greban, Siege d'Orleans,

Inktank publishing, 2018

www.inktank-publishing.com

ISBN/EAN: 9783750146891

Sprachl. Untersuchung der Mysterien

La Passion d'Arnoul Greban

Siege d'Orleans

Destruction de Troie la Grant

(Orthographie, Lautlehre, Formenlehre.)

Inaugural-Dissertation

zur Erlangung der Doktorwürde
der Hohen Philosoph. Fakultät
der Großh. Bad. Rupprecht-
Karls-Universität Heidelberg

vorgelegt von

Elisabeth Ante

Frankfurt a. M.

G. Ottos Hofbuchdruckerei in Darmstadt — 1912

Ihren lieben Eltern

in Dankbarkeit gewidmet.

Einleitung.

Folgende Arbeit behandelt drei Mysterien in bezug auf ihre Laut- und Formenlehre; das eine ist ein geistliches Mysterium betitelt: „Le Mistère de la Passion" d'Arnoul Greban, die beiden anderen sind weltliche Mysterien betitelt: „Siege d'Orleans" und „Destruction de Troie la Grant" par Jacques Milet. Was die der Untersuchung zugrunde liegenden Texte anbelangt, so sind keine mss. dabei vorgenommen worden, sondern es sind die kritischen Ausgaben zugrunde gelegt, von denen die der Passion allein Varianten von 3 Hss. angibt. Die benutzten Drucke sind für 1. die Passion: der erste vollständige Druck von Gaston Paris und Gaston Raynaud aus dem Jahre 1878; diese Ausgabe wurde von den beiden Gelehrten auf Grund von ms. 816 de la bibliothèque nationale angefertigt, dabei aber sorgfältig die Varianten von ms. 815 und ms. B. L. fr. 270 de la bibliothèque de l'Arsenal zu Rate gezogen. Diese 3 mss. sind im Texte bezeichnet mit:

A. = ms. 816 aus dem Jahre 1473.
B. = ms. 815 aus dem Jahre 1507.
C. = ms. B. L. fr. 270 ⟨ dem Jahre 1507.

Außerdem besitzen wir aber noch 4 andere Hss., deren Varianten jedoch nicht berücksichtigt sind. Nach Petit de Juleville (Bd. II p. 398 ff.) muß die Passion schon 1452 existiert haben, da aus diesem Jahre Quittungen über den Verkauf des Spieles von seiten Arnoul Greban's vorhanden sind; es ist also die Entstehungszeit auf etwa 1450 anzusetzen.

2. Die „Siege d'Orleans" benutzt nach der Ausgabe von M. M. F. Guessard et E. de Certain betitelt: Le Mistère du Siege d'Orleans publié pour la première fois d'après le

ms. unique conservé à la bibliothèque nationale. Paris imprimerie impériale 1862; ms. 1022 du fonds de la reine de Suède au Vatican. Das ms. geht hervor aus der bibliothèque de Fleury, ou Saint-Benoît-sur-Loire. Nach Petit de Juleville ist die Entstehungszeit etwa auf das Jahr 1439 zurückgehend. Da der Verfasser von Siege d'Orleans ein Dichter aus Orleans war und Destruction de Troie la Grant von einem Pariser geschrieben ist, der zu Orleans studierte, während er es dichtete, so sind zwischen den beiden Mysterien naturgemäß sprachliche Übereinstimmungen; hingegen stammt der Verfasser der Passion aus Le Mans, weshalb die Sprachformen dieses Textes teilweise, wie dies immer an den betreffenden Stellen hervorgehoben ist, von denen der beiden anderen Texte abweichen.

3. Für die Destruction de Troie la Grant von Jacques Milet ist der von Edmund Stengel im Jahre 1884 herausgegebene Druck benutzt worden; dieser ist nach der ältesten im Jahre 1884 erschienenen Ausgabe ausgefertigt worden. Es sind viele Hss. erhalten, aber es wurden in der Arbeit keine Varianten benutzt, deshalb können wir die Angabe der mss. (cf. Petit de Juleville II. p. 569 ff.) hier unberücksichtigt lassen. Die vielen Übereinstimmungen in den Texten sind das natürliche Ergebnis ihrer zentralfrz. Lage.

In vorliegender Arbeit wurden alle 3 Mysterien sprachlich untersucht, doch so, daß die Passion besonders berücksichtigt wurde, da wir von den beiden anderen Dichtungen bereits eine Darstellung der Sprache besitzen in der Marburger Dissertation von Karl Becker: Die Mysterien Le Siege d'Orleans und la Destruction de Troie la Grant. Doch ist schon manchmal die Unzulänglichkeit der Arbeit hervorgehoben worden und es dürfte daher eine nochmalige Bearbeitung erwünscht sein. Als Mängel sind besonders hervorzuheben: die Ungenauigkeit der angegebenen Beispiele in Beckers Dissertation, die beschränkte Zahl der Beispiele bei Vokalismus, Hiatbildung, Elision und besonders beim Konsonantismus. Auch einige Ungenauigkeiten liegen in den Ergebnissen vor. So sagte er z. B. Diss. p. 11 § 84: Die Zahl der Reime, aus denen hervorginge, daß *l* und *r* an 2. Stelle verstummt wäre, beschränke sich auf einige wenige in O., in T. aber fehlten solche Beispiele überhaupt. Nachstehende Untersuchung zeigt, daß dies häufiger in O. vorkommt, daß aber auch Beispiele in T. zu finden sind. Weiter sagt er § 181 c: *e* nach Vokal und vor betonter Silbe bildet eine Silbe in vrayement. Dies ist aber nicht immer der Fall, sondern es sind auch Beispiele vorhanden, in denen hierbei *e* nicht silbenbildend ist (cf. unter Hiatvokale in folgender Arbeit).

Was die Texte selbst anbetrifft, so sind alle 3 keine sorgfältig gefeilten Werke, sondern die einzelnen Werke lassen in ihrer Komposition viel zu wünschen übrig. Demgemäß sind häufig Stellen durch Silben zu ergänzen oder manchmal auch durch Fortlassung einer Silbe zu reduzieren, um das betreffende Versmaß zu erhalten; alles dieses mußte in der sprachlichen Untersuchung berücksichtigt werden, um zu nachstehenden Resultaten zu gelangen.

Verfasserin folgender Arbeit glaubt ziemlich alle Punkte hervorgehoben zu haben, die zur Laut- und Formenbestimmung der 3 Texte notwendig sind, um damit den Standpunkt der Sprache in der Zeit der vorliegenden Texte, also in dem Zeitraum von 1473—1507 festgestellt zu haben. Wie die Resultate der Arbeit zeigen, differieren Vokalismus, Konsonantismus und Formenbestand noch sehr von der heutigen Sprache. Bei dem Konsonantismus ist noch zu erwähnen, daß häufig Konsonanten eingeschoben werden, die lautlich unberechtigt sind, und nur auf etymologischer Schreibung beruhen; häufig werden auch Konsonanten grundlos doppelt geschrieben oder auch Doppelkonsonanten vereinfacht. Die Dialekte unserer Dichtungen stimmen vielfach mit dem Dialekte der Isle-de-France überein; ein Teil der Abweichungen läßt sich auch auf mundartlichen Einfluß zurückführen, wie dies ja in den Resultaten an den jeweiligen Stellen ausgeführt ist.

Benutzte wissenschaftliche Arbeiten.

Apfelstedt: Lothringischer Psalter des 14. Jahrh.

Auler, Franz Max: Der Dialekt der Provinzen Orleanais und Perche im 13. Jahrh. Dissertation Straßburg 1888.

Brunot: Histoire de la langue française. I.

Becker: Die Mysterien Le Siege d'Orleans und la Destruction de Troie la Grant. Dissert. Marburg.

Chatelain: Recherches sur les vers français au quinzième siècle. Paris 1908.

Czischke, L.: Die Perfektbildung der starken Verba der *si*-Klasse im Französ. (XI—XVI*). Dissert. Greifswald.

Dammeier: Die Vertauschung von *er* und *ar*. Dissert. Berlin 1903.

Dietz, Elis.: Zur Geschichte der frz. *si*- und *i*-Perfekta nach Texten des XIV. und XV. Jahrh. Dissert. Heidelberg 1911.

Eckhardt, S.: Geschichte der Klangveränderungen afrz. Vortonvokale. Heidelberg, Dissert. 1904.

Goerlich, E.: Die südwestl. Dialekte der langue d'oïl. Frz. Stud. III.

— E.: Die nordwestlichen Dialekte der langue d'oïl. Frz. Studien V.

— E.: Der burg. Dialekt im 13. und 14. Jahrh. Frz. Studien VII.

Hossner, M.: Zur Geschichte der unbetonten Vokale im Alt- und Neufranz. Dissert. Freiburg i. B. 1886.

Kirsch, W.: Zur Geschichte des kons. Stammauslauts im Präsens und den davon abgeleiteten Zeiten im Altfranzösischen. Dissert. Heidelberg 1897.

Meyer, B.: Die Sprache des Mistère du Viel Testament. Dissert. Heidelberg 1907.

Meyer-Lübke: Grammatik der roman. Sprachen I und II.

— — Historische frz. Grammatik I 1908.

Neumann, F.: Zur Laut- und Flexionslehre des Altfranz. 1878.

Nyrop: Grammaire historique de la langue française I und II.

Schwan-Behrens: Grammatik des Altfranz. 1903.

Suchier: Die frz. und prov. Sprache und ihre Mundarten. Suchier Grundriss [2] I.

— Aucassin et Nicolete 1906.

— Altfranzös. Grammatik I.

Thurot: De la prononciation française depuis le XVI* siècle. I. u. II.

Tobler, A.: Vom französ. Versbau alter und neuer Zeit. 1903.

Abkürzungen.

P. = Mistère de la Passion.
O. = Mistère du Siege d'Orleans.
T. = Mistère de la Destruction de Troie la Grant.

Weitere nennenswerte Abkürzungen.

⟨ = aus.   ~ = Endsilbe -ung.
⟩ = zu.   ≃ = ähnlich; cfr. = vergleiche.
lothr. = lothringisch.
pic. = picardisch.
Orl. = Orléannais.
burg. = burgundisch.
wallon. = wallonisch.
bret. = Bretagne.

I. Teil: Lautlehre.

1. Vokalismus.

A. Die Haupttonvokale.

1. Die Monophthonge.

i.

§ 1. *i* vor oralen Konsonanten.

1. *i* ⟨ lat. *e*:

P.: *deriglement* 36, *rigle* 2219, 3414, 5745, 16462, 20345 ist fremdwörtlich, denn die lautgesetzliche Entwicklung müßte nach Schwan-B. § 45 Anm.: *regulam* ⟩ *rę̨gǫlam* ⟩ *reile* ⟩ *rieile* ⟩ *rile* sein. *subjitz* 32205 (B., C.) ist regulär, während *sujet* ein Lehnwort ist. *cerimonies* 10781, 19532, 21355, 13393, 27859 ist die im afz. gebrauchte Form, so Thurot I p. 229 cit. Menage: on disait anciennement cerimonie . . . et on le dit encore dans la Provence et dans le Dauphiné. Il faut dire cérémonie. Zur Zeit des Textes vielfach (wenn auch nicht immer) *ceremonies* gesprochen, hieraus hat sich dann wohl infolge dissimilatorischen Vorgangs *ciremonies* 9792 gebildet.

2. *i* ⟨ vlt. *ę̨[*, wo sonst *ie*:

P.: *grifue* 7266 (A., *griefvent* B., C.).

O.: *trive* 12164.

T.: *brifue* 18118, *trifeves* 17463 (hier vielleicht eine Umstellung der Buchstaben, Fehler des Copisten). cf. Nyrop I § 166 Anm., *ie* ⟩ *i* besonders picardisch und wallon.

§ 2. *i* vor Nasal.

1. lat. *i* vor Nasal i. R. m. lat. *oral. i* = *i*:

P.: *disciple* : *simple* 29519 (Reim zwischen *ī* und *i* möglich).

T.: *entreprinse* : *manise* 15, 569, *prins* : *filz* 705, : *pays* : *mis* 1261, *accomplis* : *reprins* 1431, *guise* : *prinse* 2764 (etymolog. Schreibung).

2. lat. *i* + nas. i. R. m. s. selbst:

P.: *serpentin* : *matin* 679, *fin* : *divin* 1744, *engin* : *divin* 3131, *chemin* : *fin* 3676, *matin* : *vin* 6347.

3. lat. *i* + nas. und *ę* + *i* Nas. (*ngn*) i. R. m. *oin* < lat.
ī u. Vok. + *ñ*:

P.: *Juppin* : *Adoyn* 7497.

O.: *moins* : *Augustin* 13030, : *engins* : *point* 2265; über die Aussprache können uns erst folgende Zeilen Auskunft geben:

4a. *in* i. R. m. *ain*:

O.: *mains* : *voisins* 232, *plain* : *chemin* 1071, : *matin* 828, 2365, *fain* : *fin* 2861, *fin* : *main* : *enclin* : *chemin* 3645, *certain* : *hutin* 2362, 6636, *princes* : *saintes* 14075 (cf. Nyrop I § 213: noch bis 17ᵉ solche Reime von vielen als unzulässig bestritten).

b. *in* geschrieben für *ain*:

O.: *certin* : *main* 12250, 15486, *lointin* : *chemin* 12037, *dedin* 17051. Für den Dichter von O. muß also bereits für *in* und *ain* eine gemeinsame Aussprache *ẽ* existiert haben, denn nur so lassen sich diese Beispiele erklären. Auf jeden Fall muß in Orleans der Entwicklungsprozeß bereits vor sich gegangen sein, wenn auch die Aussprache, die heute allgemein herrscht, noch nicht ganz durchgedrungen ist.

P.: Anm.: *i* vor *m* : *abismes* : *meismes* 474, *crismes* : *meismes* 21392, 31601.

e.

§ 3. Frz. *é* im Wortauslaut, vor Vokal und vor oralen Konsonanten.

I. Vor oralen Konsonanten.

1. Infinitivendung.

a) Inf. *er* 〈 *are* i. R. m. *er* 〈 lat. *arem, arum*:

P.: *per* : *tromper* 10775, 22326, *amer* (〈 *amare*) : *amer* (〈 *amarum*) 14562, *cler* : *parler* 20440.

O.: *reposer* : *mer* 627, *employer* : *cler* 2819, *deffermer* : *amer* 17204.

T.: *mer* : *fermer* 586, 31761, *aymer* : *cler* 2200.

b) *er* 〈 *are* i. R. m. *ę* 〈 lat. *ĕ*:

P.: *enfer* : *rechauffer* 28890, : *grever* 13075, : *demander* 21796.

c) Inf. *er* 〈 *are* i. R. m. *oir*:

O.: *larronner* : *devoir* 12139, *resister* : *pouvoir* 4632, *trouver* : *comparoir* 4278, *assavoir* : *desemparer* 9675, *voir* : *interroger* 10125, *avoir* : *recouvrer*, solche Reime in P. und T. nicht vorkommend.

d) *er* 〈 *are* i. R. m. *er* in Eigennamen:

P.: *finer* : *Lucifer* 7151, 10467, *raconter* : *Hester* 7357, *eschaufer* : *Gadifer* 19856, *caqueter* : *Jupiter* 30211.

2. Feminines *-ere* und *-ere* 〈 *a* + gestütztem End-*e*.

a) fem. *-ere* i. R. m. *ere* 〈 *a* + gestütztem End-*e*:

P.: *pere* : *clere* : *reppere* : *appere* 3477, *clere* : *frere* 10739, *amere* : *mere* 21300, 10009, 15406, 21300, 27050, *frere* : *amere* : *vitupere* : *misere* 24888.

O.: *frere* : *chere* 1687, 17040 (cf. Becker, Diss. weitere Beispiele).

T.: *frere* : *clere* 15198, *mere* : *amere* 1827, 1941, 6636 usw.

b) -*ere* ⟨ *a* + gest. End.-*e* und fem. -*ere* i. R. m. -*ere* ⟨
erium oder *ero*:

P.: *mistere*:*pere* 4237, : *mere* 3353, : *clere* 26665, *misere*
: *pere* 25584, : *mere* 8008.

O.: *amere* : *matiere* 5281, *mistere* : *amere* 26561, *clere* :
considere 20429.

T.: *pere* : *prospere* 136, *amere* : *desespere* 1943, *frere* :
vitupere 10174, 9631.

c) fem. -*ere* ⟨ -*are* i. R. m. -*aire*:

O.: *chiere*:*affaire* 783, *mere*:*deputaire* 6959, : *complaire*
12038, *chere* : *faire* 15140, *freres* : *affaires* 15338.

d) -*ere* i R. m. -*oire*:

O.: *legier* : *Loire* 997, *bergiere* : *memoire* 3982, *mere* :
croire 7259. Folgende Reimstellung gibt eine gute Darstellung der gleichen ę-Aussprache in den 4 eben genannten
Fällen: *faire* : *pere* : *banniere* : *memoire* 803.

3. -*el* ⟨ -*alem*, -*alam* und *er* ⟨ *ar*:

a) -*el* ⟨ -*alem*:

α) -*el* ⟨ -*alem* i. R. m. s. selbst:

P.: *hostel* : *tel* 3792, *ostel* : *solempnel* 3866, *universel* :
solennel 32616.

β) -*el* ⟨ -*alem* i. R. m. *ęl* ⟨ *ellum*:

P.: *nouvel* : *criminel* 7830, *materiel* : *eternel* 10585,
solempnel : *tombel* 30107, *criminel* : *bel* 20804, *ysnel* : *criminel*
21112; *mortel* : *appel* T. 19806. (Über weitere Beispiele für
O. und T. cf. Becker, Diss.)

γ) *elle* ⟨ *alam* i. R. m. *elle* ⟨ *illam*, *ęllam*:

P.: *mortelle* : *nouvelle* 7379, 14926, *belle* : *quelle* 6107,
querelle : *telle* 3055, 13531, *maisoncelle* : *telle* 14368, *appelle* :
mortelle 21764.

O.: *nouvelle* : *telle* 7159, *perpetuelle* : *querelle* 8960, *nouvelles* : *rebelles* : *ytelles* : *tourelles* 1700.

T.: *querelle* : *naturelle* : *belle* 5268, : *perpetuelle* : *belle* 9930,
cf. Nyrop I § 154: lat. ĭ] ⟩ *e* ⟩ ę seit Ende des 12. Jahrh.

ᶞ) *-el* ⟨ *-alem* i. R. m. *-el* in Eigennamen:

P.: *supernel* : *Gabriel* 205, *solennel* : *Gamaliel* 8696, : *Emanuel* 8724, *perpetuel* : *Daniel* 9112, *tel* : *Israel* 19890, 25592, *Gabriel* : *espirituel* 27178, *celestiel* : *Israel* 26852, also offene Aussprache des *el* in den Eigennamen.

b) *er* ⟨ lat. *ar* i. R. m. *ar*:

O.: *descouvert* : *part* 2245, *parts* : *expers* 4476, *depperte* : *perte* 5352, *Chambannes* : *termes* 10905, *tarde* : *perde* 10582, *fermes* : *juzarmes* 13069, *cavernes* : *juzarmes* T. 19837, *retarde* : *perde* T. 537, *garde* : *perde* 9604, *compare* : *amere* 20711, *parte* : *perte* 21688, cf. Dammeier Diss. p. 10: *e* und *a* wechseln so häufig vor *r*, weil *e* und *a* vor *r* einander sehr ähnlich klingen. Nyrop I § 247: *er* und *ar* häufig miteinander vertauscht. G. Tory sagt 1529, dass die Pariser Damen zu sagen pflegen „Mon mery est à la porte de Peris.“ Thurot. I, 3: Plebs... praesertim Parisiana hanc literam a pro e in multis vocibus pronuntiat dicens „Piarre“ pro „Pierre“, „guarre“ pro „guerre“; Brunot I p. 407.

4. a) *elle* ⟨ *illam* und ⟨ *elam* i. R. m. *elle* ⟨ *ellam*:

P.: *nouvelle* : *celle* 8944, *chandelle* : *belle* 11232, *belles* : *elles* 14634, 24744.

O.: *belle* : *celle* 11867, *elle* : *belle* 10633, *querelle* : *belle* 18148.

T.: *rebelle* : *elle* 604, *belle* : *querelle* 2349, 13087. Zusammenfall der beiden *e* erst gegen Ende des 12. Jahrh., Trennung erhalten lothring. und burgund.

b) *elle* i. R. m. *eille* ⟨ lat. *i* + *l*:

P.: P. besitzt solche Reime nicht, dagegen finden sie sich in O. und T. sehr zahlreich:

O.: *merveille* : *elle* 15274, : *cervelle* 16418, *pareilles* : *immortelles* 16787, *Tourelles* : *merveilles* 1934.

T.: *pareille* : *belle* 2168, *belle* : *nouvelle* : *appelle* : *chappelle* : *merveille* : *pareille* : *conseille* 2137, *belle* : *telle* : *merveille* : *pareille* 2968, cf. Nyrop I § 352. Ursprünglich konnten *l* und *l* miteinander reimen. Der Unterschied in der Aussprache kann daher nur ein geringer gewesen sein; doch war er wohl hörbar, da der Schreiber von P. solche Reime vermieden hat.

c) *-el* ⟨ *-ellum* für nfz. *eau*:

T.: *annel* 3082, *tombel* 10510, *tropel* 16540; *el* die lautgesetzl. Form, *eau* = anal. plur., denn *l* vor kons. vokalisiert.

5. *e* + *l* ⟨ lat. *i* + pal. *l*.

a) *e* + *l* i. R. m. *e* + *l*:

P.: *merveille* : *oreille* 5516, *veille* : *appareille* 605, *appareil* : *conseil* 425.

O.: *merveille* : *pareille* 18104, *veille* : *merveille* 24386.

T.: *conseille* : *pureille* 1204, : *sommeille* 7994 (gewöhnl. Reime).

b) *e* + *l* i. R. m. *a* + *l*:

P.: *vermeille* : *bouteille* : *vaille* 4324.

O.: *muraille* : *veille* 7552, *conseil* : *travail* 8870.

T.: *conseil* : *travail* 6454, 14112, 16383, cf. Nyrop I § 207, 3 Anm.: dialekt. Aussprache *-eil* (*-eille*) für *-ail* (*-aille*), ebenso auch *-ail* für *-eil*.

c) *e* + *l* i. R. m. *e* + *l* für *a* + *l*:

P.: *conseil* : *traveil* 928, 17809, *traveil* : *esmerveil* 9801, : *sommeil* 28850, *merveille* : *oueille* 16557 (*oueille* = lautgesetzl. Entwicklung, nfz. *ouaille* für *oueille* beruht auf Suffixvertauschung).

O.: *conseil* : *traveil* 1945, *traveille* : *merveille* 12853.

T.: *traveil* : *vermeil* 1004, 1002, 6039, *merveille* : *traveille* 710, 2206. *e* und *a* wechselten vor *l* im frz., cf. Chatelain p. 22, besonders häufig wurde *e* für *a* in „*traveiller*" geschrieben während des 14. bis 16. Jahrhunderts, analog *veiller* ⟨ lat. *vigilare*. Nach R. Estienne (1549) wurde ein vlt. Substrat transvigilare angenommen, doch cf. Neumann: Laut- und Flex. p. 30 ff. über *aille* ⟩ *eille* und Meyer-L.: *aille* ⟩ *ele* im 14. Jahrhundert auch im Zentrum.

6. 2. pers. plur. *-ez* ⟨ *-atis:*

a) *-ez* ⟨ *-atis* i. R. m. s. selbst:

P.: *passez : cessez* 10530, *scavez : avez* 15064.

O.: *devez : tenez* 3742, *demandez : entendrez* 3753.

T.: *venez : avez* 10096, *abusez : saiches* 23683. Über die Aussprache von *-ez* cf. B. M. Diss. p. 26. *e*-Aussprache = *ę, s* und *z* machen keinen Unterschied in der Aussprache, ebensowenig Tempus oder Modus. Daß die Aussprache des *e* in *ez* eine offene war, zeigen noch folgende Reime:

b) 2. pers. plur. *-ez* i. R. m. Inf. *er:*

O.: *avez : gouverner* 532, *requerrez : destourbier* 420, *advisez : conseiller* 2633, besonders auch die Reimstellung: *vueillez : employer : cler : sanglier* 2821, worin ja *e* offene Aussprache hat nach § 3, I 1, b. In P. und T. keine solchen Reime.

c) Für offene Aussprache des *e* in 2. pers. *-ez* sprechen:

O.: *près : avez* 2798.

T.: *apres : ires* 6725, *verrez : pres* 12898, *vendrez : prestz* ⟨ praestum) 998.

7. *e = ai* ⟨ lat. *a* + par. *i:*

P.: *s'abesse : maistresse* 3693, *est : plest* 3421, *lesse : tristesse* 1164, *let : enfançonnet* 7660, *retret : Nazareth* 19120.

O.: *lessons* 1560, *fere* 7922, *rabesse* 8894. cf. Nyrop § 200: Zusammenfall von *ai* mit *ę* schon afz.

8. *e* für *eu:*

P.: *pevent* 18425, 19574, 27468.

O.: *pevent* 5775 (Analogie nach *sevent*). cf. Nyrop II § 126, 1c: J. Pelletier, XVI. Jahrhundert sagt: »Les uns disent peuvent, les autres pevent et encore les autres peulent.«

T.: *vefues* 13568, 19802, 20372 ist die lautgesetzliche Form; cf. Meyer-L.: Histor. frz. Gram. I § 99: *vidua* ⟩ *vedve* ⟩ *veve* ⟩ 15. Jahrhundert *veuve*, dies ist eine Labialisierung des *e* ⟩ *ö*, während *veuve* sich erhalten hat, sind andere entsprechende Formen wie *pöse, cröve, löve, föve* geschwunden. Aber auch *vefues* existiert noch, cf. Atlas *linguistique, carte* 1382, danach *vefues* noch in Pas de Calais, Nord, im Somme-Gebiet, im Südosten des Doubsgebietes, in ganz Savoyen und im Ain-Gebiet; in einzelnen Teilen geht die Verdunklung durch den Labial so weit, daß *o*-Aussprache entsteht, z. B. im Meurthe-et-M. Gebiet, sowie in einer Gegend des Doubs Gebietes.

Ebenso finden wir *e* für *eu* in:

P.: *regne : jesne* 7916, es wäre möglich, daß der Dichter hier *jesne* nur mit Rücksicht auf den Reim gebraucht hätte, doch finden wir in T. 25027 *rigouresement*, also auch hier *e* für *eu* (wenn auch in nebentonig oraler Form). Sollte hier nicht eine dialektische Aussprache vorliegen, die vergleichbar wäre mit den deutschen Dialekten, in denen *ö = e* gesprochen wird, einerlei ob vor Nasal oder sonstigen Konsonanten? War es doch sehr leicht möglich, daß solche Worte den Dichtern oder Kopisten unter die Feder kommen konnten (cf. pfälzisch, thüringisch: lesen statt lösen, schen statt schön); auf diese Weise wären auch die häufigen Reime von *eil : euil* zu erklären.

9. *e* vor palat.:

P.: *seiche* 8757 (B. C.; A. = *seche*).

T.: *fleiche* 16200, *aseige* 20636, *abreige* 22318. Aussprache nicht bestimmbar, da keine Reime vorhanden sind. (cf. *a* vor palat.).

10. -*esse* ⟨ -*itia* i. R. m. *esse*:

P.: *largesse : dresse* 6830, *blesse : rudesse* 10623, :*noblesse* 14822, : *simplesse* 20740.

T.: *radresse : noblesse* 3704, *confesse : noblesse* 18840 (cf. § 3, I, 4a).

II. Frz. *e* im Wortauslaut.

1. Part. Prt. *e* ⟨ *atum*.

a) Part. Prt. i. R. m. s. selbst:

P.: *juré : duré* 12139.

O.: *affyné : myné* 2686.

T.: *allé : sonné* 1418.

2

b) *e* ⟨ *atum* i. R. m. *e* ⟨ *atem:*

P.: *esté : volenté* 14946, *porté : durté* 15408.

O.: *esté : faulseté* 456, *fidelité : entalanté* 255.

T.: *compte : humilite* 16701.

c) *e* ⟨ *atum* i. R. m. *ai:*

P.: *offensé : scay* 1332 (A.; B. C. = *offensay*).

O.: In O. sind diese Reime häufig: *diray : delibere* 1921, *mecteray : parle* 4425, *eveilluy : appareille* 12147.

T.: *scay : trepasse* 3494.

d) *ai* geschrieben für *e* ⟨ *atum:*

O.: *ay : advisay* 18438, *soit appareillay* 18520, *est demeuray* 19535. Also das *e* im Part. Prt. = ę, denn *ay* im Wortauslaut = ę (cf. Nyrop I § 200) beim Verbum.

2. *e* für lat. *a* + *i̯:*

O.: *vouldre* 6601, 10561, *acceptere* 16703, *je l'are* 16944, *fré* 16509, *j'é* 15228, 15625.

T.: *j'en verre* 280, *je ne fauldre* 759, *j'aure* 6754, *je respondre* 22854. Aussprache von *ai* = monophthongisch, denn *e* für *ai.* (cf. Thurot I p. 302).

§ 4. *e* vor Nasal.

1. a) *ẽ* i. R. m. *ã:*

P.: *demande : admende* 2913, *temps : doubtans* 1237, *exemple : ample* 18145, *temps : portans* 18229, *puissance : vengence* 21024, *pestilance : pacience* 23196, *content : tant* 26842, *pesans : sens* 28374.

O.: *Orleans : aucunement* 99, *semblant : grant : estrant : diligent* 3181, *deffendre : Alixandre* 157, *champs : temps* 5989.

T.: *rendre : esclandre : entendre : comprendre* 12092, *grant : comment* 535, *longtemps : pensans* 1286, *grans : prens* 7947. *ẽ* und *ã* in unseren 3 Texten zusammengefallen, Vorgang schon afz. (nur pik. und wallon. = Trennung von *ẽ* und *ã* erhalten, cf. Nyrop I § 215).

b) *ẽ* für *ã:*

P.: *bende : entende* 15652, *pence : avence* 21936 usw.

O.: *rende* : *bende* 4338, *present* : *grent* 18353.
T.: *enfence* : *commence* 1911.

2. *ē* findet sich einmal i. R. m. *õ*:

T.: *nombres* : *membres* 5942. Da nach Nyrop I § 219
Anm. *ã* > *õ* in einigen Dialekten in Saintonges und Aunis
etwa seit 15. Jahrhundert übergeht, so haben wir
hierin vielleicht eine ähnliche dialektische Eigenheit zu
sehen, oder wir haben es mit dialektischer Beeinflussung
zu tun. Ähnlicher Vorgang im heutigen Pariser Patois:
frãçais > *frõçais*.

3. *ē* = *oï*:

P.: *mendre* : *comprendre* 507, : *gendre* 3271, : *descendre*
4587, : *prendre* 9024, : *pendre* 22704.

a.

§ 5. *a* vor oralen Konsonanten.

1. a) *a* i. R. m. *aï* ⟨ *a* + *ï*:

P.: *maistre* : *atre* 12229 (C); *faire* : *batre* O.: 3657.

b) *a* für *ai*:

P.: *glave* 3296, 19166, *esclaves* : *glaves* 18527.
T.: *glave* 4769, 6790, 10150, 16240, 20407 cf. M.-L. I
§ 236: Im Osten bleibt *ai* im Ausl. bestehen, es wird lothringisch vor Kons. ⟩ *a*, wallon. ⟩ *ę*; Görlich p. 36: östl. pic.
lothr. burg. Reime.

2. *a* für *e* vor *r*:

P.: *jarbes* 1008, *tresparce* 1606, *jarbe* : *barbe* 22994.
O.: *tarre* 15849.
T.: *tonnarre* 16384, cf. Nyrop I § 244; Thurot I p. 3
—20; B. M⌐yer: Diss. § 8, 1 b. Ähnlichkeit mit deutschen
Mundarten: *Kasarne* statt *Kaserne*, *farn* statt *fern* usw.;
R. Danmeyer p. 10: Vertauschung von *er* und *ar* im Wort-
schatz der heutigen fz. Schriftsprache; Apfelstedt § 25:
e ⟩ *a* besonders häufig im Burgundischen.

2*

Go gle

3. *a* vor *l*:

P.: *principal* : *celestial* 352, *sensual* : *mal* 1118, *realles* : *principalles* 2125, *infernal* : *eternal* 7462, *especial* : *celestial* 32093. cf. Thurot p. 20 ff.: Adj. bald *-al* gelehrte Bildung, bald *-el* lautgesetzlich; Apfelstedt § 25: *e* ⟩ *a* vor *r* und *l* besonders häufig im Burgundischen.

4. a) *a* + *l* i. R. m. *a* + *l*:

O.: *especial* : *principal* : *travail* : *mal* 17988.

T.: *crystal* : *esmail* : *destail courail* 2956, *metal* : *crystal* : *esmail* : *destail* 13688, *portail* : *detail* : *esmail* : *cristal* 24733. Übergang von *l* ⟩ *l*, cf. Meyer-Lübke I § 514 p. 436: pik. und wallon. Rückkehr von *l* ⟩ dentalem *l*.

b) *a* + *l* für *al*:

O.: *metail* 3971; nur einmal in O. vorkommend.

5. *ame* für *aume*:

P.: *royalme* : *ame* 10003, 11462, 32928, : *infame* 10763, 11026, 15674, 20676, : *dame* 12107, 32239, : *enflammes* 5638, : *proclame* 17082; Aussprache = *ame*, *l* = kein *u* entwickelt, cf. Auler, Diss. p. 53; derselbe Vorgang im Burgund. und Lothring.

6. a) *a* vor *g̣*:

α) *a* vor *ǧ* i. R. m. s. selbst:

P.: *ouvrage* : *courage* 1426, *ostage* : *gage* 2362, *usage* : *mesnage* 3409, *courages* : *sages* 12935.

T.: *voyage* : *bernage* 1724, *oultrage* : *voyage* 4240, *lignage* : *bernage* 9132, *mariage* : *courage* 27357. In P. durchweg Reime von *age* : *age*, niemals Reime von *age* : *aige*, während in O. keine Reime von *age* : *age* vorkommen, sondern nur *age* : *aige*; in T. sind beide Arten vertreten.

β) *-age* i. R. m. *-a je* für *-ai je* ⟨ *habeo*:

P.: *sage* : *fera je* 589, 11008, *rage* : *fera je* 1102, *oultrage* : *ara je* 1202, *dira je* : *oultrage* 2545, *servage* : *ara je* 1600, *rage* : *pendera je* 21958, *fera je* : *rage* 23046, : *ouvrage* 24392, *aage* : *ira je* 32059. Nur in P. kommen solche Reime

vor, in O. und T. nur im Reime zu *ai-je*; *a* für *ai* ⟨ *habẹo*
= dialektisch, cf. Neumann p. 50, 51, lothr. *je sa, je dira*
etc.; Görlich p. 25: *a* = *habẹo*. Apfelstedt § 18, lothr.
Psalter 49, 12: *j'a*; Chcv. as deux espees: Einleitung
p. XXXIII. Der Gebrauch, *a* für *ai* zu setzen, scheint sich
von der Pikardie aus durch Lothringen bis nach Burgund
ausgedehnt zu haben. Auch unser Text P. zeigt diese Erscheinung, weshalb wir auch für den Maine-Dialekt auf
a ⟨ *habẹo* schliessen dürfen, wenigstens als Nebenform zu
ai ⟨ *habẹo*.

γ) Schreibung *-age* i. R. m. Schreibung *-aige*:

O.: *avantage : bocaige* 20034, *coraige : rivage* 3649, *pas-*
saige : eage : corage : saige 2138, *rage : coraige* 3542, *bernage*
: *vasselaige* 4109, *oultrage : saige* 6452, *voyaige : village* 7010,
servage : ouvraige 7498, *saiges : paiges : visaiges : suffrages*
7746, *reclusaige : voyage* 15380.

T.: *voyage : ouvraige : corsage* 6920, *couraige : lignage :*
langaige : dommage : rivage : adventage 8114, *messaige : parage*
9993, *marriage : dommaige* 15265, : *messaige* 15340, : *oul-*
traige 18586, *bernaige : vasselage* 22997, *messaige : voyage*
23456, : *langage* 23708.

δ) *-aige* i. R. m. *-aige* und *ai je* ⟨ *a + ị*:

P.: *usaige : fay je* 17389, *saige : scai-je* 14471, *gaiges :*
langaiges 27358, *visaige : tesmoignaige* 27508, *languaige : ay*
je 28304, ausser Reim: *usaige* 4554, *couraige* 28936, *gaiges*
27347, *saige* 26108; *saige : scay je* 14472, *usaige : fay je*
17389, *couraige : encore ay je* 17725, im ganzen Texte P.
nur diese 13 mal *-aige*, sonst stets *-age*; während in O. und
T. *-aige* in großer Überzahl sind, so z. B. in O. innerhalb
5000 Versen 86 mal *-aige* und nur 29 mal *-age*.

O.: *coraige : mesnaige : barnaige : heritaige : lignaige : oul-*
traige 59, *bernaige : vasselaige : lignaige : coraige : domaige*
403, *voyaige : heritaige : bernaige : coraige* 571 usw.

T.: *vaisselaige : partaige* 27516, *eritaige : bernaige* 21503,
couraige : adventaige 19718, *lignaiye : domaige : couraige :*
oultraige 18735 usw., cf. Neumann p. 12 ff.: dial. Formen :

burg., wallon., lothring. und pikard.; Nyrop § 199 Anm.,
Meyer-L.: Hist. fz. Gram. I § 102: Entwicklung von *age* ⟩
aige ist eine Palatalisierung des *a* vor *ǧ* im lothr., burg.,
wallon. und pikard., andrerseits in den norman. und in den
südwestlichen Mundarten. Isle de France und Champagne
bleiben bei *a*. Die Aussprache können wir für P. wohl
mit Sicherheit als -*age* ansetzen, da die Reime mit -*aige* in
so verschwindender Minderheit vorkommen. O. und T. hingegen scheinen völlig dialektisch gefärbt zu sein, was diese
Reime anbetrifft, und angesichts der Tatsache, daß sich in
dem ganzen Texte O. kein Reim von *age* : *age* findet, dafür
nur Reime von *age* : *aige* oder *aige* : *aige*, dürfen wir vielleicht auf eine palatal gefärbte Aussprache schließen: vielleicht *aige* = *ege*. Da aber keine Reime von *aige* : *ege*
usw. vorliegen, so können wir nur die Vermutung aus-
sprechen, aber nichts Sicheres feststellen. Ebenso kommen
noch ein paar Reime mit *e* vor *r* + cons. vor, die zwar
nicht beweisend sind, da ja *e* vor *r* oft = *a* gesprochen
wird, aber dennoch erwähnenswert sind: O.: Fouquemberge:
passaige 4973, : *saige* : *corage* : *bernage* 2099.

    Resultat: Aussprache = sicher *age* für P., hingegen
nicht bestimmbar für O. und T., doch läßt die Unter=
suchung die Vermutung mehr nach *aige* = *ege* als *aige* =
age gehen (cf. Görl. fz. Stud. V: Maine = *aǧe* und *eǧe*).

b) -*ache* ⟩ : -*aiche* :

    O.: *je saiche* 1574, *saichent* 8417.

    T.: *saiche* : *taiche* 6614, *saiches* 10324, *Andromaiche*
12860, *vaiche* 17628, *haiche* 20915, *taiche* 18887. Sonst
immer -*ache*. Nach Auler p. 35 wäre -*ache* anzusetzen,
wie auch die Urkunde von Orleans: *sachent* 4, die er zu
Rate gezogen hat, anzeigt. Da Reime nicht vorliegen, ist
auch hierüber nichts Bestimmtes zu sagen, was die Aussprache in unseren Texten betrifft. P. hingegen hat wie-
derum nur -*ache*, weshalb auch hier die nichtpalatalisierte
Aussprache die herrschende ist.

7. a + ñ.

a) -aigne für -agne:

P.: *gaigne* 5442, *montaignes* : *chataignes* 7524, *angaigne* : *gaigne* 29097, *montaigne* 29732.

T.: *gaigne* 3686, 8766.

b) -aigne i. R. m. eigne:

P.: *compaigne* : *preigne* 24006, *gaigne* : *enseigne* 25832, *enseigne* : *montaigne* 26056, 32079, 26972.

T.: *compaigne* : *preigne* 21040.

c) -aigne für -eigne:

P.: *montaigne* : *faigne* 13179, 13335, cf. Thurot I p. 329 ff.: Orthographie und Aussprache schwankt zwischen -*aign* und -*eign*. Tabouret dit que les morts en -eigne «la plupart peuvent rimer avec aigne». Ebenso Lanoue «Ces deux terminaisons» -aign et -eign «n'ont qu'une prononciation». Die Aussprache war *ẽñe*, cf. Neumann p. 30 ff., Meyer-L. Gram. d. rom. Spr. I § 232 p. 207, Berta Meyer p. 33 § 5, Nyrop I § 229 Anm.: Urspr. dialekt. Formen im Osten, Westen und einem Teil des Nordens, diese dann auch von der Isle de France übernommen. So werden wir wohl auch für unsere Texte die Aussprache *ẽñe* annehmen dürfen.

§ 6. *a* vor Nasal.

1. *ã* für *ẽ* (= umgekehrte Schreibung cf. § 4):

P.: *essance* : *excellance* 2124, *ensamble* 4914, *reverance* 5053.

O.: *rendre* : *entreprandre* 1749, *contante* : *tormente* 10170, *insolence* : *balance* 12469.

T.: *France* : *differance* 951.

2. ã ⟨ ẽ.

a) em i. R. m. am:

P.: *infames* : *femmes* 27544.

O.: *ame* : *femme* : *blasme* : *reclame* 4377, *femme* : *blasme* 13091.

T.: *diffame* : *femme* 14590, 25274, 26622, 27114; *dame* : *femme* 1584, 11624, 15097, 18177, 18825, 21005.

b) *am* für *em*:

P.: *dames* : *fames* (⟨ *feminas*) 212, *diffame* : *fame* 663, *fame* 7333, : *infame* 13827, 13937, cf. Görl. fz. Stud. V p. 42: *fame* und *feme* gespr.

c) *em* für *am*:

O.: *diffemme* : *blasme* 18324. Resultat: Die Aussprache von *femme* war = *fâme* in allen 3 Texten.

3. *em* i. R. m. *em*:

P.: *femmes* : *mesmes* 4360, 7182, 7836, 8240, 9306, 10212, 11692, 12862, 13152, 15007; *baptesme* : *femme* 19982. Scheinbar dem in 2. Gesagten widersprechend, denn bis auf den heutigen Tag *e* in *mesme* = *e*-Aussprache; doch cf. Thurot I 22 «Masme pour mesme est une impertinente prononciation des picards» Chifflet (1659); da die Pikardie in der Literatur Frankreichs eine so große Rolle spielt, so ist leicht Übertragung dieser dialektischen Formen auf unseren Text möglich. So dürfen wir wohl auch für diese Reime eine Aussprache = *ã* ansetzen, um so eher, als diese Aussprache in den Rahmen der anderen vorhergehenden Reime passt.

4. -*an* für *ain*:

P.: *publicans* 10172, 17010; *plane* T. 19595 (wohl analog den endungsbetonten Formen *planière* usw.).

o, ou.

§ 7. *o, ou* vor oralen Konsonanten.

1. *o* i. R. m. s. selbst = gewöhnliche Reime:

P.: *corps* : *accors* 12367.

O.: *dehors* : *rapport* : *corps* : *fort* 3493.

T.: *misericorde* : *recorde* 13749 (häufige Reime).

2. *o* ⟨ lat. *ǫ*] + *l* i. R. m. *o*:

P.: *acop* : *trop* 21940, *cop* : *Jacob* 11550, *trop* : *beaucop* 13459, 30516, 30870, *cop* : *trop* 7810, 17299, 19831.

T.: *enclos* : *copz* 17299, *folz* : *rescoux* 22006. Über diese

Reime cf. Berta Meyer § 9, 1 p. 44; über d. fz. Entwicklung: Meyer-L. I § 196 p. 180: *colapum* ⟩ *colp* ⟩ *cǫup* ⟩ *cǫup* ⟩ *cup*.

Anm.: *col : fol* P. 12455; *cou, fou* im nfz. ist Verallgemeinerung des Casus Rectus (vergleiche Schwan-B. § 300) in dem ǫ + *u* ⟨ *l* vor cons. ⟩ *ǫu* wurde im 13. s.

3. a) *o* i. R. m. *ou*:

P.: *aposte : couste* 6838 (C, aber *coste* A. B).

O.: *touche : bouche : reprouche : soche* 3261, *doubte : flote* 5109, *doutte : rocte : toute : goute* 8722, *touche : reproche* 10674, 1168, *touche : poche* 12067, *approche : couche* 19544, *Polle : foulle* 2334.

T.: *trestous : folz* 10432.

b) *ou* für *o* :

P.: *couste* 6830 (C, AB = *coste*).

O.: *propoux : oust* 12229, : *courroux* 100:9.

c) *o* für *ou* :

O.: *escarmoche* 18291, *forbes* 14112. Diese 3 Fälle ergeben, dass der Unterschied zwischen *o, ou* nicht groß gewesen sein kann, daß die Aussprache, wenn nicht gleich, so doch sehr ähnlich gewesen sein muß, cf. Neumann p. 45: *o, ou, o* waren ein Laut, der in der Klangfarbe dem *u* sehr nahe stand; Thurot p. 242, daselbst Tabouret: „Les courtisans d'aujourd'hui prononcent assez grossierement .... pour chose, gros, repos etc., chouse, grous, repous".

4. *o, ou* ⟨ lat. *au* i. R. m. *o* ⟨ lat. *ǫ*:

P : *repose : chose* 4122 (A, BC *chouse*), *chose : oppose* 23338.

O.: *close : suppose* 9292, cf. Schwan-B. § 217: ǫ ⟩ ǫ im Wortausl., vor intervokalem *s* und vor verstummtem *s* in dem Nexus *s* + cons.; cf. auch Auler, Diss. p. 83, daß der Schreibung *chouse* = lautl. Bedeutung beizumessen ist, das beweist der Reim *chouse : pouse* ⟨ pulsat. Thurot I p. 245: *chouse* bezeugt Estienne, Palliot: o contre ou est rymée par Ronsard, quand il rime chose contre espouse. Die meisten Grammatiker verwerfen die Aussprache *chouse*, erkennen aber damit ihre Existenz an. Die Aussprache war also ganz geschlossenes, dem *ou* fast gleichlautendes geschlossenes ρ.

Anm.: *povre* P. 1257, *pouvre* O. 11565, 12059.

T.: *pouvre* 1816, 10542, 24918, 26777. *pouvre* zeigt geschlossene Aussprache an, cf. Nyrop § 188; Meyer-L. I § 286: *pouvre* nach ihm = westfz. Form, die im 16. s. auch nach Paris eingedrungen ist; in unseren Texten wohl nur für geschlossene Aussprache redend.

5. *ou* < lat. ρ[für *eu* nfz.:

a) *ou* i. R. m. *ou* < ρ[:

P.: *valour* : *honnour* 12050, *amour* : *clamour* 1552, *plours* : *doulours* 7776, *valour* : *flour* 22555.

T.: *amour* : *doulour* 11448, : *honnour* 11203, *valour* 15130, *pour* 729. *ou* > *eu* = ö frz. schon Anfang des 13. s. Diese Reime sind dialektisch. cf. Nyrop I § 183: *ou* > ö außer im burg. und lothr.; Suchier: Grdr. p. 731: *ou* = lothr., wallon. und mittelrhon. erhalten; Goerl. frz. Stud. VII: *ou* > *eu* i. d. westl. Dial. seit 14. s, doch *ou* behält Oberhand in den echt volkstümlichen Überlieferungen.

b) *ou* < lat. ρ[= nfz. ö i. R. m. *ou* < lat. ρ]:

P.: *labour* : *tour* 980, *flour* : *jour* 5874, *jour* : *labour* 6582, *majour* : *jour* 20588, *tousjours* : *traictours* 21194.

O.: *atour* : *colour* 12055, *doulours* : *tours* 6768, *errour* : *entour* 29209.

T.: *pastours* : *autour* 16542, *cour* : *plour* 27452, *jour* : *labour* 27245. In unseren Texten sind solche Reime möglich, da *ou* < ρ vor *r* lange erhalten blieb, länger als vor *s*; es sind also keine östl. Reime, wie früher angenommen wurde, sondern unseren Dialekten lautl. zukommende Reime.

Anm.: *ou* für *eu* in *pou* < *paucum* = lautgesetzlich:
P.: *pou* 16082, 18936, 24719, 27250, 30172.
T.: *pou* 16388, 16725, 17746 (cf. Goerlich VII p. 100).

6. *-ore* für- *oire* ⟨ *o* + *rị*:

P.: *tempore* : *meritore* 14128, : *memore* 11377, *notore* : *incorpore* 12775, 14266, *ore* : *meritore* 20798, *consistore* : *ore* 20482, *notores* : *ores* 29561. In unserem Texte P.: *ore* für *oire* ⟨ *o* + *rị*. Es existierten zwei Aussprachen für *ore* ⟨ *o* + *ị*: eine östliche = *ore* und eine gemeinfrz. = *oẹre*.

7. *o* + pal. *ǧ*:

O.: *roiges* 10873, 10926, *desloiger* 15123. Es liegt eine Palatalisierung durch das *g* vor; die Aussprache kann jedoch nicht bestimmt werden, weil beweisende Reime fehlen (cf. § 4,6).

§ 8. o vor Nasal.

1. *õ* i. R. m. *ü*:

P.: *nombre* : *umbre* 2151, 10000, 24538, *corrunde* : *monde* 2142.

O.: *parfonde* : *unde* 908, *triumphe* 167, *undes* 1124.

T.: *parfonde* : *unde* 24685, *nombre* : *umbre* 195. *ü* nur Schreibweise für *õ*.

2. *oi* + *ñ* für *o* + *ñ*:

O.: *Bouloigne* : *esloigne* : *besoigne* 577, *besoigne* 1163, 1166, 2120, 2472, *besoigne* : *groigne* : *tesmoigne* 2135, *besoigne* : *esloigne* 2350. Zum Teil wohl Einfluß anderer Wörter, in denen *oi* lautgesetzlich ist, wie *loin*, *besoin*, cf. Nyrop I § 229, 5; *elogner* blieb daneben im Gebrauch bis zum 17. s. Möglicherweise auch dialektisch, denn *ǫ* vor *ñ* im Südosten regelmäßig ⟩ *oi* (cf. Goerlich p. 95), worauf das Fehlen dieser Schreibung in P. und T. hinweisen könnte. Doch schon die folgenden unter 3. erwähnten Reime machen diese Aussprache zweifelhaft, denn wäre die Aussprache *oi*, so könnten die Reime unter 3. nicht vorkommen. Aussprache für unseren Text O. deshalb wohl: *o* + *ñ*.

3. *o* + Nas. i. R. m. *o* + *ñ*:

O.: *ordonne* : *besoigne* 17020, *personne* : *croigne* 4042, *nonne* : *somme* : *besoigne* 7825, *retourne* : *Babilonne* : *Bouloigne* : *vergoigne* 16362, cf. Cons. § 63.

Anm.: Folgende Reimstellung in O. spricht dafür, daß der Schreiber des Textes den südlichen Dialekt gut gekannt hat: *besoigne* : *faigne*

: *esloigne* : *vergoigne* O. 10845. Wollen wir diese Reimstellung nicht als einen unreinen Reim auffassen, so müssen wir wohl oder übel als Resultat dieser Untersuchung eine zweifache Aussprache annehmen, einmal die dem Dichter geläufige Aussprache *o* + *ñ*, und dann eine dialektische Aussprache *oi* + *ñ*, die der Dichter kannte, die Aussprache müßte im letzten Falle *oéñe* gewesen sein, da nach § 5, 6c die Aussprache von -*aigne* = *éñe* lautete.

ü.

§ 9. *ü* vor oralen Kons. und im Wortauslaut.

1. *ü* im R. m. lat. *us*:

P.: *Venus* : *venus* 5284, *Christus* : *vertus* 6275, 10215, : *yssus* 10415, *confondus* : *Jhesus* 10455, *sercus* : *abus* : *Belzebus* 20576, 25159, *Hesperus* : *apparus* 20156.

T.: *menelaus* : *tenus* 4041, : *venus* 25365, *plus* : *naulus* 8137, *vertus* : *Archilogus* 8613, *thelamonius* : *plus* 8623.

2a. *ö* i. R. m. *ü*:

P.: *demeure* : *procure* 6528, *Dieu* : *perdu* 591, *aveugle* : *bugle* 20652, *feu* : *tu* 19412, : *fu* 28864.

O.: *rescu* : *Dieu* 817, *plus* : *mieulx* 2611, *conclu* : *jeu* : *adveu* 2761, *couru* : *deffendu* : *Dieu* 5249, *murs* : *heurs* : *seigneurs* : *fureurs* 5625, *heures* : *demeure* : *procurent* : *adventures* 6120, *forfaiture* : *adventure* : *demeure* : *procure* 6528, *perdu* : *lieu* : *esleu* : *conclu* 13736, *conclure* : *heure* 17584.

T.: *euz* : *nulz* 22441, *seurplus* : *abus* : *plus* : *mieulx* 23843, cf. Nyrop I § 183 Rem: In den Gebieten, in denen *ö* unbekannt ist, wird *ö* dem nächst ähnlichen Laut assimiliert, dem *y*. Er nennt sie unvollkommene Reime, „rimes provençales“, „gasconnes“, „normandes“, et „de Chartres“; Meyer-L : Hist. frz. Gram. I § 104. Im gascogn., provenzal. *eu* mit *ü* gleichgestellt, weil *ö* in diesen Dialekten nicht existierte; Chatelain p. 18: *eu* und *ü* lauteten = *ö* in Normandie, Burgund, Chartrain, Gascogne, Anjou, hingegen *ü* in Picardie.

b) Folgende Reime beweisen, daß für *e* + *u* die gemeinfranz. Aussprache, für *eu* < *ǫ* hingegen eine dialektische Aussprache *ü* gilt:

P.: Denn wie: *seurs* 537, *heure* : *asseure* 1646, 3636, 5378, *seurs* : *seigneurs* 6549, : *ambassadeurs* 10471, : *prede-cesseur* 15348, *feu* : *veu* 19486, *peu* : *sceu* 21334, *Dieu* : *veu* 26074, *apperceu* : *feu* 17020 reimen, so auch *Jhesu* : *eu* 20062, *alleure* : *aventure* 27700, *eu* : *fu* 28864, *furent* : *as-seurent* 29555, 32039, *receu* : *Jhesu* 29611.

O.: *oultrageuse* : *aleuse* : *plantureuse* 3669, *jeu* : *adveu* : *feu* : *lieu* 2765, *esleu* : *lieu* 5836, *venue* : *eue* : *lieue* 11555, *seure* : *doubteuse* : *aleuse* : *creuse* 12493, und *menu* : *receu* 699, *cogneu* : *menu* 784, *entendu* : *conceu* 1243.

T.: *eue* : *queue* 1105, *seur* : *douleur* 16946, *peu* : *conceu* 24657, *seurs* : *eurs* : *fleurs* : *douleurs* 2517, *coeur* : *seur* 26609 und *painture* : *brodure* 10007, *receu* : *venu* 18945.

Anm.: Einmal findet sich *u* für *eu* : *fu* ((*f*ǫ*cum*) : *fu* P. (Prol.) 191. B. Meyer, Diss. p. 49 möchte für *e* + *u* eine doppelte Aus-sprache ansetzen, je nachdem *e* + *u* im Auslaut steht oder vor *r*; dies scheint mir nach vorhergehenden Reimen in den hier behandelten Texten nicht angängig zu sein, denn es reimt *alleure* : *aventure* P. 27700 genau so gut wie *feu* : *fu* P. 28864.

3. *u* für *ou*:

P.: *cruppe* : *juppe* 4779, *amburhe* : *escarmuche* 7305, 15893, *huche* : *escarmuche* 17774. Wohl nur Schreibweise *u* für *ou*, nicht Aussprache *ü*, cf. Neumann p. 45: *ou*, *o*, *u* waren ein Laut in der Klangfarbe dem *ụ* sehr nahe stehend; Chatelain: zwischen *u* und *ou* ist nur eine geringe, kaum merkliche Differenzierung in der Aussprache.

§ 10. *ü* vor Nasal.

1. *une* i. R. m. *ugne*:

P.: *opportune* : *repugne* 290, *repugne* : *june* 12817, : *com-mune* 4083, : *fortune* 25962. Hier in dieser Zeit *gn* auch nur nasalierte Aussprache bezeichnend, im 17. s. aber ver-schwinden diese Reime, weil die mouillierte Aussprache allgemein wird (cf. Nyrop § 335).

2. *un* i. R. m. *eung*:

O.: *Meung* : *chascun* O. 3182. Möglicherweise Zeichen für eine ziemlich offene Aussprache des *ŏ*. Thurot p. 545

zitiert Dangeau 1694: „Notre voyelle un qui se prononce dans le mot „commun" est plutôt un „eu" nasal qu'un „u" nasal. Eben daselbst St. Pierre 1730: Il y aura dans peu d'années beaucoup d'autres mots semblables dans la langue francoize, parce que l'on commence à les prononcer negligamment, quelques-uns disent déjà „breun" pour „brun", les „euns" pour „les uns", et effectivement à y prendre garde de près il est un peu plus aizé ... Frühere Zeugnisse sind nicht vorhanden. Das Wahrscheinlichste für unseren Text ist, daß wir in *Meung* dieselbe Aussprache wie in *ŏ* vor uns haben.

3. *ung* i. R. m. *oïng*:

O.: *ung* : *besoing* 8886, *juing* : *Meung* : *ung* : *comung* 18020. Thurot p. 547 zitiert nur *aubin* für *aubun*. Vielleicht liegt eine dialektische Aussprache vor, etwa vergleichbar mit dem sächsischen Dialekte „schen" für „schön". So herrscht nach Chatelain p. 4 in einem großen Teile der Pikardie eine Verwirrung zwischen *ing* und *ung*.

eu.

§ 11. *eu* = ö vor oralen Konsonanten und im Wortauslaut.

1. a) *eu* = nfz. *ou* ⟨ *ǫ* i. R. m. *eu*:

P.: *meveilleuse* : *espeuze* 3994, 4067, 4140, 4214, 4616, *espeuze* : *gracieuse* 11195, : *joyeuse* 11206, : *glorieuse* 5870 (*espeuze* ist d. lautgesetzliche Form, nfz. durch *epouser* beeinflußt), *demeure* : *sequeure* 2002 (*secoure* i. nfz. analag n. endungsbet. Formen).

O.: *demeure* : *seceurre* 4282, *eure* : *labeure* 8363, *sequeure* 10936.

T.: *demeure* : *sequeure* 6748, *labeure* : *heure* 14146, *labeure* 9805.

b) *eu* = nfz. *ou* ⟨ *ǫ* i. R. m. *eu*:

P.: *descueuvre* : *oeuvre* (subst.) 1946, *treuve* 2290, *repreuve*.

O.: *seuffre* 16607, *treuve* 16321.

T.: *treuve* 23630, 25693 (nfz. *ou* analog nach endungsbetont. Formen).

2. *ou* ⟨ *o* i. R. m. *eu* ⟨ lat. ǫ:

O.: *demeure* : *heure* : *aleure* : *secourre* 659, *jour* : *tous* : *secours* : *douleurs* 5193, *recouvre* : *demeure* 11758, *jours* : *estours*: *douleurs* : *faulxbours* 4288.

T.: *jour* : *labeur* 259 Prol., *amours* : *fleurs* 9487, *amours* : *douleurs* : *toujours* 3152, *seurs douleurs* : *jour* 16819, cf. Thurot I p. 454 zitiert Tabouret: Quasi tous les anciens poètes francois riment -eure et -oure: comme ils ne font de différence entre eu et ou z. B.: Qu'elle coure, En peu d'houre Vers son doux amoureux. Ursprünglich östliche Reime, da hier *ou* = *ou* erhalten blieb, die jedoch cf. Chatelain p. 40 seit dem XIV. Jahrhundert sich über die fz. Sprache ausgebreitet haben. Für die Aussprache haben wir daher wohl *ou* anzunehmen.

3. *eu* ⟨ lat. *iǫres*:

P.: *pluseurs* : *serviteurs* 17122, : *seigneurs* 14934, : *gouverneurs* 20538, : *erreurs* 20422, : *collecteurs* 10997.

O.: *pluseurs* 16, 1192; afz. Form = *pluiseur*, daraus durch Umstellung der Vokale nfz. *plusieur*, durch Kontamination der beiden Wörter = *pluseur*.

Anm.: T. *mileu* 4518, wohl nur Schreibfehler eines Kopisten.

4. -*eul* für -*euil* ⟨ -*olium*:

P.: *deulz* : *deux* 15450, 16322, 25544, *deul* 20728.

O.: *deul* : *eul* 12369, 13718, 13771, *seul* : *eul* 13565. Dem sg. -*euil* entsprach afz. ein Plural -*eux* dieser hat als Nebenform zum sg. -*euil* einen sg. -*eul* hervorgerufen.

P.: *feulles* 16646, *regueully* 18657, ·*ouelles* 3507, cf. Meyer-L. I § 514: pikard. u. wallon. *l* ⟩ *l*.

5. a) *e* + *l* i. R. m. *ö* + *l*:

P.: *veil* (⟨ *volǫ*) : *dueil* 16894, 9453, 23640, 29563, *orgueil* : *veil* 490, 408, 2322, *vueil* : *veil* 8110, 11212, 21027, *veille* (⟨*volǫam*) : *recueille* 12883, *oeil* : *veil* 22302, *dueil* : *veil* 32037.

O.: *vueil* : *conseil* 11297.

T.: *dueil* : *veil* 710.

b) $e + l$ für $ö + l \langle \varrho + l_i$:

T.: *veil* : *deil* 22181, *deil* 21156, 22180, *feille* (Prol.) 57, *veillent* 21299, *feille* : *merveille* 19852, *veille* 25245, *veil* : *dueil* 713, 12645. $ö + l$ dialektisch vielfach $= e + l$ gesprochen. Nyrop § 207, 4 Anm.: Ménage tadelt streng die Formen *eil, eillade*; cf. Thurot zit. p. 463: H. Estienne: oeil, dueil, acueil, orgueil et alia huius modi ita proferuntur a nonnullis ut e longum cum tenuissimo i sono audiatur: ab aliis ut quidam literae sonus u ad aures perveniat. Cherrier (1766): „Plusieurs ... prononcent eil, eillade, eillet, en quoi il se trompent.

c) $e + l$ i. R. m. $ö + l$:

T.: *veil* : *deul* 713. Aussprache ist wohl $= e + l$ gewesen, da nun nach 4. *eul* im sg. häufig für *euil* geschrieben wurde anal. Plural, *euil* aber mit *eil* reimte, so ist dem Schreiber leicht der Fehler unter die Feder gelaufen, daß er irrtümlicherweise *eul* : *eil* reimte.

6. *eu, ieu* a) $\langle al + $ cons.:

P.: *morteulx* 7318, *cieux* : *tieulx* 15490, : *mortieulz* 21230, *iteulx* 32624, *deux* : *matineulz* 21314, *mieux* : *tieulx* 21235, 27100, 18758.

O.: *tieux* 7746, *quieulx* 7533, 16878.

T.: *lesquieulx* 1089, *desqueulx* 27041, *tieulx* 18758. Lautgesetzl., nur noch in *ciel-cieux* im neufz. gewahrt, cf. Nyrop II § 307. *quieu* u. *tieu* noch im 17. s. gebraucht. Derselbe Fall liegt vor in *crueulx* P. 27272, in *cruel* ist ja früh Suffixwandel von *crudelis* $\rangle$ *crudalis* eingetreten, cf. Meyer-L.: Hist. fz. Gram. I § 77, § 62.

Anm: Es findet sich einmal T. *immortelz* : *glorieulx* 3763. Für diesen Fall haben wir wohl Aussprache $= eu$ anzunehmen, da $l \rangle u$ schon vokalisiert war, *l* sich daher nur im Schriftbild findet nach *immortel*, vielleicht nur ein Schreibfehler vorliegt.

b) $\langle$ lat. $a + l^{cons.}$:

P.: *traveulz* 27021 (B. C, während A $=$ *travaulx*). Da -*ail* für -*eil*, -*eil* für -*ail* geschrieben wurde, der Plural von

-*eil* aber -*eux* lautete, so wurde leicht auch der Plural -*èux* für den gewöhnlichen Plural von -*ail* substituiert.

c) 〈 lat. *ęl* ^{cons.}:

T.: *beulx* 25536. (*bęllus* 〉 *bęls* 〉 *bęus*, westfz. erhalten).

Andere Plurale, in denen wir -*eux* Bildung haben, sind noch *dieux* : *fieux* P. 9870, 21601. Nach Suchier: Auc. et Nic. p. 75 = Eigentümlichkeit des pikard. Dialektes iu 〉 *ieu*; cf. auch Tobler: Li dis dou vrai aniel XXV. Da sich in der Bretagne nach Goerlich: fz. Stud. p. 56 derselbe Vorgang findet, so könnte auch Beeinflussung unseres Dialektes von dieser Seite erfolgt sein.

T.: *injurieulx* : *grieulx* 521, *mieux* : *greux* 6666. Schwan-B. § 51: *ę + u* 〉 *ieu*, also lautgesetzlich, neufz. = fremdwörtlich.

7. *eu* 〈 lat. *e, a*:

P.: *theume* 27455.

T.: *sceuvent* 13978, cf. Nyrop I § 233 (3, 4): *e* 〉 *eu* durch Einfluß des Labials bis 17. s. viel gebraucht, noch heute im Patois in der Normandie. Thurot I p. 466 zitiert Palsgrave: Deux mauvaises prononciations, qui sont tres communes, mesme à la cour. L'une de ces mauvaises prononciations est de dire „cheuz" vous, „cheuz" moy, „cheuz" lui au lieu de dire „chez" vous ... et je ne puis comprendre d'où est venu „u" dans ce mot.

8. *eu* für *oi* 〈 lat. *ĭ*:

P.: *seuf* 11590, cf. Meyer-L.: Hist. frz. Gram. I p. 87.

Darstellung des *eu* = *ö*: Graphisch wurde *eu* = *ǭ* auf die verschiedenste Weise dargestellt:

a) *eu* : *theume* P. 27455.

b) *ue* : *cuer* T. 352, *dueil* P. 745.

c) *ueu* : *descueuvre* P. 1945.

d) *oe* : *oeil* T. 5838.

2. **Die alten Diphthonge.**

ei, ai.

§ 12. *ai, ei* vor oralen Konson. und im Wortauslaut.

1. *ai* 〈 lat. *a + ĭ* i. R. m. s. selbst:

P.: *faire* : *contraire* 1006, : *salutaire* 1054, : *tributaire* 1514.

3

O.: *desplaise* : *malaise* 1664, *paix* : *faiz* 12039, *fais* : *plaist* 19340.

T.: *plaise* : *mesaise* 1782, *vray* : *detruiray* 12961, *obeiray* : *diray* : *vray* : *iray* 7274.

2. a) *ai* i. R. m. *e*:

P.: *princesse* : *naisse* 1886, *mes* : *paix* 6439, *maistre* : *fenestre* 7870, 8765, 13330, 14481, 28891, *plaist* : *est* 8980, *n'est-ce* : *naisse* 8552, *maistre* : *lettre* 27370, : *mettre* 29026.

O.: *scay* : *trespasse* 3494, *faicte* : *extraite* : *necte* 3973, *trompetes* : *faictes* 10341.

T.: *mais* : *ferez* 2061, *jamais* : *comparrez* 20679, *maistre* : *fenestre* 13465, 13467, *plais* : *arrest* 14663, *gentillesse* : *laisse* : *richesse* 25313; Aussprache = ę, denn cf. Nyrop I § 200: *ai* seit 12. Jahrhundert = ę, ausgenommen in den Verben, in denen *ai* im Auslaut einem ę entspricht.

b) *ai* für *e*:

P.: *nagaire* 1216, *guaire* : *Calvaire* 24362, 29839, *affaires* : *nagaires* 14884.

O.: *en effait* 5345, *retraire* : *misaire* 8874, 9382, *guait* 15531, *diffaire* 19100.

T.: *hay* (*hé interj.*) 27432, *arbalaistre* : *prestres* 2512, 1962, *gairy* 9046, *gaires* 2229.

3. *ai* i. R. m. *a*:

P.: *maistre* : *atre* 12229 (C, aber B = *estre*, A = *aistre*), *faire* : *batre* 3657. Östliche Reime, cf. Apfelstedt p. 20 § 19: Charakteristisch für die östlichen Dialekte ist das Betreben, die lautgesetzlich entstandenen Diphthonge zu reduzieren; Meyer-L.: Rom. Gram. I § 236.

4. *ai* i. R. m. *i*:

Außer den noch im neufrz. mit *i* reimenden Fällen, wie *pays* nur noch ein Beispiel von *ai* i. R. m. *i*, es ist dies *vraye* : *vie* O. 1774, sonst finden sich auch in O. nur Reime mit *pays* : *i*. In T. und. P. ist kein vom nfrz. abweichender Reim *ai* : *i* zu verzeichnen.

§ 13. *ai, ei* vor Nasal.

1. a) *eine* ⟨ *ena* i. R. m. *aine* ⟨ *ana*:

P.: *prochaine : peine* 11246, *peine : haultaine* 17933, 25409, : *humaine* 4861, 16055, : *certaine* 5075, 30705, *pleine* : *villaine* 3703, 11801.

O.: *peine : grevaine* 16884, *peine : alleine* 5254, : *villaine* 4881, : *certaine* 6637, *certaine : seine* 7090.

T.: *peine : helene* 5728, : *villaine* 10238, : *haultaine* 20595, : *prouchaine* 21436, : *saine* 22708, : *souveraine* 12351, 14648, 20580.

b) *aine* für *eine*:

P.: *humaine : primeraine : seraine* 3293, *sepmaines : plaines* 9084, *plaine : humaine* 13215.

O.: *Madelaine : paine* 13841, cf. Becker: Diss. p. 25.

T.: *maine : peine* 765, cf. Neumann p. 51: *ai* und *ei* vor Nasalen einander gleich; Kraus, § 5: *ai, ei* und *e* vor Nasal stehen nebeneinader.

c) *aine, eine* i. R. m. *ẹne, ẹne*:

O.: *Magdalene : demaine : peine : villaine* 4881.

T.: *ramene : demaine* 67, *helene : plaine* 2272, 3007, : *ameyne* 2813, : *peine : souveraine : alaine* 3138, : *demaine* 3553, : *peine* 8364, 11709, *mene : traine* 10108, *polixene : peine* 26543. Aussprache *ẹne, ẹne*. Meyer-L., Rom. Gram. I § 246: *ẹne* und *ẹne* schwanken untereinander bis 17. s.

2. a) *ain* i. R. m. *oin*:

P.: *contrains : machefoins* 4815 (B, C; aber A *machefoins*), dies der einzige Reim dieser Art in P., während diese Reime in O. und T. häufig sind.

O.: *point : coings : Bisquains* 4545, *Rains : craint : oint : fins* 10261, *prouchains : moins* 14158.

T.: *plains : moins* 2237, *humains : moins* 2221, 14431, *moindre : plaindre* 4381, : *craindre* 22938, *rains : moins* 2253 usw. Da nach § 2 „ain" schon durch „in" ersetzt wird (*dedin* für *dedain*), ain also schon die Aussprache *ẽ* gehabt haben muß für den Text O., so dürfen wir wohl auch an-

3*

nehmen, daß in T., in dem die Reime mit *oin* so zahlreich
sind, die Aussprache in diesen Reimen auch in *ain* = $\tilde{e}$
war. Was aber P. anbetrifft, so können wir die Aussprache
von *ain* nicht bestimmen, da sich nur ein Reim von *oin* :
ain findet (und dieser war in B und C), niemals aber *ain* :
in, oder „in" für „ain", sondern stets nur Reime von *ain* :
ain und *ein*, cf. B. Meyer, Diss. p. 60 hält eine Zwischen-
stufe für möglich: $\ddot{a}\dot{\imath} \rangle \ddot{a}\dot{e} \rangle \tilde{e}\dot{e}$, dann Assimilation und vergleicht diese Entwicklung mit $o\tilde{e}$ und $u\tilde{e}$. Dieser Vergleich
scheint mir etwas bedenklich, da phonetisch ein großer Unter-
schied zwischen *ai* und *oi* in der Klangfarbe ist, in $o\tilde{e}$, $u\tilde{e}$, ist ein
dunkler, gutturaler Laut mit einem hellen palatalen Laut ver-
bunden, also 2 Laute, die in der Klangfarbe weit voneinander
entfernt sind, und daher leicht im Zusammenhang auszuspre-
chen sind; in $\ddot{a}\dot{e} \rangle \tilde{e}\dot{e}$ aber 2 palatale Laute, deren Übergangs-
stufen in der Aussprache nur sehr schwer wiederzugeben sind.
Viel wahrscheinlicher erscheint mir daher die Monophthon-
gierung ohne Übergangslaut direkt erfolgt zu sein, cf.
Meyer-L.: Hist. frz. Gram. p. 91: $\ddot{a}\dot{\imath} \rangle \ddot{e}\dot{\imath} \rangle \tilde{e}$. Er sagt, wenn ein-
zelne Grammatiker des 16. s. noch $\ddot{e}\dot{\imath}$ angeben, so mag es sich
wohl um eine etwas konservativere Aussprache handeln,
oder um eine Beeinflussung des Ohres durch das Schriftbild.

Resultat: Für O. müssen wir eine bereits bestehende
Aussprache $\tilde{e}$ für *ain*, *ein* annehmen; für P. und T. fehlen
sichere Anhaltspunkte, da die Reime *oin* : *ain* allein nichts
bestimmen können.

b) *ain*, *ein* ‹ lat. *ĭmus* für neufrz. *oin*:

P.: *humains* : *mains* (‹*miuns*) 232, 3115, 14004, *mains* :
germains 27684, *mains* 13254, 15329, 15623, 23800.

O.: *craindre* : *maindre* : *fraindre* : *plaindre* 18180, *mains*
2031, 3057, *le maindre* 7527, 15716.

T.: *mains* : *plains* 5374.

oi.

§ 14. *oi* vor oralen Kons. und im Wortauslaut.

1. *oi* ‹ *au* + *ĭ* und *ǫ* + *ĭ* im R. m. *oi* ‹ *ǫ* oder *i*:

P.: *joie* : *saouleroye* 5658, *noise* : *poise* 12141, *ennoy* : *moy*
11252, *congnoistre* : *accroistre* 15336, 20418, *scavoye* : *joye* 20456.

O.: *joye* : *vroye* 4171, *joye* : *voye* 2970, 567, *soye* : *joye* 320, *joye* : *coye* 17615.

T.: *noise* : *poise* 15860, *doye* : *ioye* 1225, *troie* : *soie* 7752, *avroye* : *ioye* 12409.

2. a) *oi* i. R. m. *e*:

Nur einmal findet sich ein solcher Reim in

P.: *recepte* : *droite* 24846; sonst reimt in P. mit ein paar Ausnahmen *oi* nur mit *oi*.

O.: *maistre* : *congnoistre* : *fenestre* : *destre* 3517, *voloir* : *guerroyer* 268, *pourroit* : *est* 1560, *bergiere* : *memoire* 3982, *requierent* : *prestoires* 3713, *resister* : *pouvoir* 4632, *assavoir* : *desemparer* 9675, *larrouer* : *devoir* 12139.

T.: *angoisse* : *vieillesse* 22266, *prunelle* : *estoille* 2426, *estoilles* : *nouvelles* 6490, *angoisse* : *empresse* 3363, 8977, *angoisse* : *deesse* 25154, : *gentillesse* 12452. Seit Ende des 13. s. *oi* 〉 *we* und diese Aussprache ist noch vereinzelt im 19. s. zu finden.

b) *oi* 〈 *e* für *e* neufrz.:

P.: *tonnoire* : *voirre* 938, *roix* 〈 *retes* 10874, 31818, cf. Nyrop § 159: *tonnoirre*, *tonneire* 〈 *tonitrum* und *voire, veire* 〈 *vitrum* ist die lautgesetzliche Entwicklung, durch Verstummen des *w* in der Aussprache *we* ist das *e* im neufrz. *tonnerre* und *verre* hervorgegangen.

Anm. *e* für *oi*: *estelle* : *pucelle* 5822, : *nouvelle* 5406, wohl beeinflußt durch lat. *stella*, also fremdwörtlich.

3. a) *oi* i. R. m. *ai*:

O.: *territoire* : *commisaire* 6, *affaire* : *notoire* 11, *affaire* : *contraire* : *victoire* 183, *vouloit* : *extrait* 1654, *desiroye* : *vraye* 4261, *voire* : *contraire* 4609, *delay* : *voy* 7202, *maistre* : *congnoistre* 7363, *victoire* : *retraire* 8167, *retrayent* : *fortiffiroyent* 20133, *victoire* : *retraire* : *derriere* 18820.

T.: *envoys* : *faiz* : *gregois* : *destroys* 1886, 15536, 21047, 24437, 24868, *debonnaire* : *faire* : *croire* : *oratoire* 7199, *congnoistre* : *maistre* 21048.

b) *oi* für *ai* 〈 *a* + *i*:

P.: *diroy* 7363.

T.: *faire* : *desploire* 15538, *roys* : *foys* (= *factos*) 26199, *auroy* 7546.

c) *ai* für *oi*:

O.: *explait* 18010.

T.: *complet* : *explait* 24099; während *oi* i. R. m. *ai* und *e* nur anzeigen, daß der 2. Bestandteil in *oi* = *e* ist, beweisen die unter b) und c) angeführten Beispiele, daß eine Aussprache von *oi* = *e* gewesen ist.

4. *oi* i. R. m. *a*:

O.: *benoiste* : *taste* 8762, *Coras* : *gasconnois* 1741. Daneben muß aber bereits eine Aussprache mit *oa* für den Text O. bestanden haben, wenn vielleicht auch erst im Entstehen begriffen, wie dies aus den obengenannten Beispielen ersichtlich ist, cf. Nyrop § 160: Aussprache schon spurenweise im 13. s. = *oa*. (P. Meyer in dem Bulletin de la Société des Anc. Textes, 1903 p. 57): Dont c'est bien voars, et Puet on bien voar. Zeugnisse erst seit dem 16. s.: Palsgrave (1530): quand oy est à la fin des monosyllabes, suivi de s, t, x, ou à la fin d'un polysyllabe, devant s ou t, ou au milien d'un mot, devant r ou l, le i se prononce à peu près comme un a, boas, voax, françoas, disoat, gloare, poalle.

Resultat: Für *oi* ist also für alle 3 Texte *wε* als die herrschende Aussprache anzusetzen, dafür sprechen 1. die vielen Reime von *oi* : *e*, und *ai*, 2. die Schreibarten von *oi* wie z. B. a) *soeuf* P. 11590 (A, aber B C = *soif*), wobei nach Meyer-L. Hist. frz. Gram. § 99: *oeu* für *uǫ* = Labialisierung durch folgendes *f* ist; b) *oie* für *oi* : *soyef* P. 13901 (C; A, B = *soif*), *memoiere* T. 14369; c) *oue* = *oi* : *nageoueres* 14133, *doulouere* P. 25690 (A, Text *doloire*), P. 26522 (C, A und B = *doloire*), *mirouer* T. 2847, *doulouere* : *voir* T. 26523, dann umgekehrt d) *oi* für *oe*: *boisme* O. 13045. Daneben müssen aber bereits die ersten Anfänge einer *oa*- und einer *ǫ*-Aussprache bestanden haben, wie vorhergehende Reime ergeben.

Anm.: Einmal findet sich in T. *oi* i. R. m. *i* : *desir* : *voir* 4178, da dies nur einmal vorkommt, so dürften wir es wohl mit einem bloßen Augenreim zu tun haben.

5. *oi* ⟨ lat. *e, i* = neufrz. *ai*:

P.: *roide* 11715.

O.: *frois* 13347.

T.: *croie* 20055, 20066, *foible* 26913. Neufrz. *oi* = *ę*, folglich *ai* = graphisch.

6. a) *oi* für *o* vor *r*:

P.: *gloire : possessoire : encoire* 17163.

T.: *encoires* 816, 973, 8576, 8750, 10283. Umgekehrte Schreibung in Analogie an die vielen ostfrz. ausgehenden Wörter auf *ore*, denen im Nordfrz. ein *oęre* entsprach, wie zu *gloire* ein *glore*, so umgekehrt und unbekümmert um die Verschiedenheit des etymolog. Ursprungs zu *encore* ein *encoire*.

b) *oi* für neufrz. *ui* ⟨ *o* + *ı̣*:

P.: *moy : annoy* 4685, 3527, 9337, 12602, 15991, 28612.

T.: *moy : annoy* 20353. (Einwirkung der endungsbetonten Formen, die ja von Hause aus *annoyer* lauten.)

§ 15. *oi* vor Nasal.

1. *ain* i. R. m. *oin*:

cf. § 13, 2 a, b.

2. *oĭ* für neufz. *eĭ*:

T.: *royne* 291, 340, 364, 2573, 2584, 14678, 18171, 14678, 20882, 21586, *helene : royne* 26535 (analog nach *roy*).

ui.

§ 16. *ui* vor oralen Kons. und im Wortauslaut.

1. *ui* i. R. m. *i*:

P.: *luy : envay* 595, *circoncis : puis* 5876, *destruire : sire* 8011, *desduire : mire* 8118, *dire : conduyre* 10649, *huile : subtile* 13997, *ruyne : divine* 25034.

O.: *apris : suis* 4442, *destruit : contredit* 5562, *ennuyse : mise* 19556, *guise : devise* 16491, *: vise* 14098, *pluye : remedye* 10654.

T.: *luy* : *mercy* : *hardy* 918, *demi* : *luy* : *mercy* 3517, *mise* : *guise* 1405. Schon 12. s. *úi* ⟩ *ui.*

2. Älteres ursprüngl. *ui* = nfz. *i*:

P.: *vuide* 471, 13894, 14089, *vuides* 10095, 24101.

T.: *vuide* 1253, 1276, 1288, 8499, *je cuide* 1601 (*cuidier* analog *vuidier* gebildet: *cogitare* ⟩ *coidier* lautgesetzlich).

au, eau.

§ 17. *au, eau* vor oralen Konsonanten und im Wortauslaut.

1. a) *au* und *eau* i. R. m. s. selbst:

P.: *commensaulx* : *principaulx* 18165, *imperiaulx* : *maulx* 20674, *loyaulx* : *especiaulx* 33796, *trouppeaux* : *faulx* 21788.

O.: *assault* : *deffault* : *fault* : *chaux* 2301, *beau* : *noveau* : *rossigneau* : *joyau* 766, *loyaulx* : *maulx* 3118, *deffaulte* : *haulte* 14442, *chevaux* : *vault* : *chault* 19155.

T.: *maulx* : *haulx* 3436, *haut* : *vaut* 155, *fault* : *assault* 3317, 4337.

b) *au* i. R. m. *o*:

O.: *autre* : *notre* 16031.

T.: *autre* : *vostre* 6460. Auskunft über die Aussprache von *au* in der Zeit unserer Texte geben die Reime nicht, weder 1. die Selbstreime noch 2. die Reime mit *o*, die ja nur dafür sprechen, daß ein Element in *au* = *o* ist, dieses also auch *ao* oder *o* lauten konnte. Suchier: Grundr.[2] I p. 745 gibt an, daß „au“ zu Beza's Zeit (1584) bereits gesprochen wurde = ϱ. Für die Zeit, aus der unsere Texte stammen, haben wir noch keine Zeugnisse.

2. *aux* ⟨ *eils*:

P.: *consaulx* : *jouvencaux* 16299, : *hastereaulx* 30324, 30737, : *bestiaulx* 22954, : *faulx* 20068.

T.: *beaulx* : *leonceaulx* : *vermaulx* 9988, *cendaulx* : *vermaulx* 26828. Da *travail* = *conseil*, so bildete man zu *travaux* ein *consaulx.*

3. *au* für *ou* ⟨ *o* + *l*:

P.: *vaulte* 19626, cf. Suchier: Auc. et Nic. p. 73: *ou* ⟨ *o* + *l*] = pikard. u. wallon. ⟩ *au*.

4. *aux* für *eaux* ⟨ *aquas*:

P.: *aux* 7522. *eau* zur Zeit als Aussprache noch *ao* lautete, war schwierig zu sprechen, daher wurde oft *e* ausgelassen, cf. Thurot I p. 435 ff.: Palliot (1608) macht dem Höfling einen Vorwurf daraus: „Aussi mal embouchez servoient-ilz à exprimer la diphthongue de trois voyelles en „eau" et n'en faire que deux en „veaux", qu'il sont et qui se trouveront incontinent en vaux et valées . . . les gouttes „d'eaulx" se tournent en gouttes „d'aulx" . . .

5. *au* für *al*:

O.: *mau* 11941 (anal. plur. *maux*).

§ 18. *au* vor Nasal.

1. *au* vor Nas. i. R. m. *a* vor Nas.:

P.: *bejaune* : *Anne* 6368.

2. *a* vor Nasal für *au* vor Nas.:

P.: *royalme* : *ame* 11462, 10003, 32928, : *infame* 10763, 11026, 15674, 20676, : *dame* 12107, 32239, *psealmes* : *palmes* 16269 (cf. Thurot I p. 433, Neumann p. 11). *au* + Nas. ⟩ *a* + Nas. reduziert.

ie.

§ 19. *ie* vor oralen Konsonanten und im Wortauslaut.

1. Afz. *ie* ⟨ *a* nach pal. wird anscheinend teils *ie*, teils *e* gesprochen:

a) afz. *ie* ⟨ *a* nach pal. wird noch *ie* gesprochen in:

P.: *maniere* : *chere* 1106, 2984, *chere* : *premiere* 4626, 6838, *maniere* : *ligiere* 12093, *traictie* : *pitie* 22866, *chiers* : *espiciers* 28116.

O.: *chiere* : *frontiere* 3158, : *maniere* 21354, *bergiere* : *sorciere* 14002.

T.: *deniers* : *chiers* 11374, *legiere* : *singuliere* 13496.

b) afz. *ie* ⟨ *a* nach pal. kann bereits *e* gesprochen sein in:

P.: *penser : upaisier* 32029, *faire : legiere* 15634, : *chere* 21386.

O.: *employer* : *cler* 2819, *chiere* : *affaire* 783, : *contraire* 5569, *voir* : *interroger* 10125, *chiere : faire* 15140, *guerroyer* : *lever* 14028.

T.: *haster : approcher* 10013, *tue : venge* 11143, *iouer* : *logier : visiter : aler* 11655, *laissier : endurer* 13604.

Anm.: Einmal findet sich in P. *chieze* 21343 (C; A und B haben *chaise*).

2. *ie* ⟨ lat. *e*, wo neufz. *e*:

P.: *grieve : abriefve* 4895, 23220, 27786, *relieve : griefve* 30693, *eslievera* 3931, 7928 (*e* anal. nach endungsbetonten Formen).

O.: *giecte : directe* 19570, *guiere* 15803, 16219.

T.: *chief : brief* 10655, *lieve* 1449, *triefves : briefves* 14137.
Anm.: *mierre* P. 26869, (A, aber B, C = *myrrhe*), 6681. T.: *mierre* 24817.

3. *ie* + *l* für *ie* + *l̦*:

P.: *vielz* 21543, *vielle* 7527, 17757, 22098.

O.: *viel* 2366, 4905.

T.: *viel* 266, *viellesse* 22258, 22266, *viellard* 10705, 24559. Meyer-L.: I § 514 pik. und wallon. *l̦* ⟩ *l*.

4. *iee* ⟩ fallendem *ie* ist pikardisch, wallon. und lothring. (cf. Neumann p. 55; Suchier, Auc. und Nic. p. 75):

P.: *est taillie : compaignie* 7325, 4942, *lye* (⟨ *laeta*) : *jolie* 22426, : *fournie : poignie* 6788.

O.: *conduie : lye* (⟨ *laeta*) : *jolie : hardie* 539, *mie : vye* : *conduie : lye* 16770.

T.: *lye* (⟨ *laeta*) : *jolye : melancolie : mye* 2852, 1523, *lignie* : *mye* 8097, 6155, *seigneurie : baronie : ratifie* (⟨ *ratificata*) 25509. Diese dialektische Erscheinung findet sich also sowohl in Orleans als auch in Maine, cf. Auler p. 30; Goerl. Frz. Stud. V: Die nordwestl. Dial. der langue d'oïl. p. 15.

§ 20. *ie* vor Nasal.

1. *ie* ⟨ ẹ i. R. m. lat. *an*, *en* und *ien* ⟨ lat. *ianum*:

P.: *moyen : Galileen* 21510, *ceans : moyens* 3748, *sermens* : *pharisiens* 16705, *diligens : citoyens* 5610.

O.: *devant* : *incontinant* : *riens* : *remenant* 41, *grans* : *biens* 53, *ancien* : *temps* : *present* : *riens* 1491, *enffant* : *appartient* 18909, *Orleans* : *chiens* 5202, *chrestiens* : *Orleans* 6877.

T.: *troyans* : *anciens* 15407, *dedans* : *anciens* 8685, *en* : *tien* 938, *bien* : *terrien* : *priam* : *ancien* : *moyen* 7322. Diese Reime ergeben, daß „en" in „ien" = „an" gesprochen worden sein muß. Thurot I p. 435 unterscheidet 2 Fälle:

1) *ien* = einsilbig ⟨ lat. $e + n$. 2) *ien* = zweisilbig ⟨ lat. $a + n$. Dazu die Grammatikerzeugnisse: H. Estienne: dans chien, mien, tien, sien, vien, e s'unit tellement à l'i precedent, qu'il prend presque le même son; mais on ne peut pas dire la même chose des mots qui ne se prononcent pas monosyllabiquement. So auch Bèze: Stets soll *ien* ⟨ $e + n$ = *en* und *ien* ⟨ $a + n$ = *an* gesprochen worden sein; während andere z. B. Palsgrave sagen, daß jedes *ien* = *an* gelautet habe: *mienne* = *mianne*, „ent" à la troisième du singulier des verbes, comme il sent, il convient ... se prononce par a: il sant, il conviant etc.

Es mag sein, daß ursprünglich zwei Aussprachen getrennt voneinander existiert haben, diese aber im Laufe der Zeit miteinander verwechselt wurden, anfangs nur in der Volkssprache, schließlich aber auch die literarischen Kreise erreichte und sich mehr und mehr einschlich. Wie tief dieser promisene Gebrauch im 16. s. schon eingedrungen war, zeigen vorhergegangene Grammatikerzeugnisse. Für unsere Texte aber muß *ien* = *an* gewesen sein, wenigstens die herrschende Aussprache, wie die vielen Reime ergeben haben.

Man vergleiche darüber auch Goerl.: Die nordwestl. Dialekte der Langue d'oïl. Frz. Stud. V. p. 18. — Suffix *-ianum* ⟩ *ien* ⟩ *an* schon sehr früh. In den Urkunden von Maine: *Julian*. In dem heutigen Patois von Haut-Maine *moyen* = *meian* neben *meien*; ebenso sagt er im Patois von Orléannais: *mouyan* etc. Dazu sagt er auf S. 26: Ein besonders merkwürdiger Lautwandel ist der des *ie* vor *n* ⟨ lat. $e + n$ ⟩ *iã*; diese Formen sind für die nordwestl. Dialekte schon im 13. s. festzustellen: *byans* usw.

2. a) *ie* vor Nasal $<$ lat. e + Nas. i. R. m. *ain* $<$ lat. *anum*:

T.: *vien* : *tien* : *soustien* : *lointain* 1662, *vien* : *loingtain* 598.

b) *ien* für *ain*:

T.: *bien* : *loingtien* 5926, *terriens* : *riens* 22378. Diese Beispiele beruhen auf einer Aussprache *iěn*, denn nach § 2 c wurde *ain* schon vereinzelt = *ěn* gesprochen und sind schon Fälle für umgekehrte Schreibung von *ain* und *in* vorhanden. Auf jeden Fall hatte *ain* einen *ě*-Laut und keinen *ā*-Laut, weshalb wir also auch eine *iěn*-Aussprache als coexistierend annehmen müssen.

c) *ien* i. R. m. *e* + *ñ* :

T.: *scienne* : *souveigne* 19762.

P.: *seigne* : *viengne* 16077.

Anm.: *iien* für *ien* : *soubztiiens* T. 195.

3. *ie* für *eo*:

O.: *lieppars* 10926, 19026.

T.: *lieppars* 10914, 4840, 12804.

B. Die Vortonvokale.

1. Monophthonge.

i.

§ 21. *i* vor oralen Konsonanten.

1. *i* vor *l*, *ñ* für *ei*, *ai*, *oï*:

P.: *orguilleux* 16733, 16794, *engigner* 21612, 17334, *grigneur* 25871, *somillier* 26234, *batillier* 31106, *consilla* 20021 (C; A, B = *conseilla*), *rigler* 5357, *rigle* 18149, 26099, *riglerons* 5359.

O.: *orguilleux* 496, 3945, *milleur* 584, 96, 1588.

T.: *orguilleux* 3275, *orguilleusement* 7669, *grigneur* 27958, *rigler* 11302, *rigle* 15645, *signeurs* 27179, *orguilleux* 11613, 13249, 20757, 23039, 26013, cf. Mussafia: Zs. f. rom. Phil. I, 409: *ai*, *ei*, *oi* $>$ *i* vor *i*-haltigen Konsonanten in unbetonter Silbe, Goerlich p. 45 ff., Apfelstedt p. 37, Neumann p. 39: *traviller.*

2. *i* für *e* vor *ǧ*:

P.: *ligierement* 3842, 8074, 24409, *ligiere* 12092, 21809, 31788, *ligerete* 4890.

O.: *assigée* 14349, *assigier* 2204, 2256, 12877, 12964.

T.: *liger* 701, *assigier* 8531. In diesen Fällen Palatalisierung des *e* 〉 *i*.

3. *i* für *e*:

T.: *medicine* 16177, 25398. Lautgesetzlich wäre *medecine*, wie es auch neufrz. heißt (cf. Nyrop § 169). Hier wahrscheinlich Assimilierung des *e* an das folgende *i*; *dilicieusement* 7671.

O.: *Alixandre* 157, *possidans* 11765. Vielleicht ist der Übergang von *e* 〉 *i* ein Charakteristikum des Orleannais'schen Dialektes.

Anm.: Einmal findet sich in P. *demiseau* für *demoiseau* 17465. Über *i* für *a* in *allisiez* etc. vergleiche: Verbum § 89. Bindevokal *i* ist ursprünglich in der I. Konjugation in den endungsbetonten Formen, *a* ist erst langsam durchgedrungen.

§ 22. *i* vor Nasal.

1. *in* für *ain*:

P.: *rinceau* 16152, 16187.

O.: *convincra* 17755.

T.: *crintie* 1710, *insy* 22592, cf. Haupttonvokale § 2 c) *a*).

2. *in* für *en*:

P.: *incement* 24723 (A; B, C = *encement*).

e.

§ 23. *e* vor oralen Konsonanten.

1. *e* für *a* vor *r*:

P.: *appertient* 18059, 21663, *Berthelemy* 17960, *pervenu* 24131, *merris* 28616.

O.: *berguigner* 6161, *espargner* 7945, *merri* 28436.

T.: *espergnez* 2512, 13055, 15686, *lermoie* 10452, *lermoyer* 3338, *bernage* 315, 5450. Über den Wandel von *ar*

⟩ *er* und den Wechsel der beiden, cf. Haupttonvokale § 3,
ĭ, 3, b. Der Vorton begünstigte die Vertauschung noch
mehr.

b) *e* für *a* vor anderen Konsonanten:

O.: *pareschever* 10348, wohl Dissimilation zum vorhergehenden *a*, *refraichiront* 2406 (*re* für *ra* auf Präfixvertauschung beruhend, da Vorsilbe *re* sehr häufig).

T.: *eschevement* 26525, *escheve* 23749, hierbei ist vielleicht an Einwirkung der Fälle mit *e*-Prothese zu denken
= *escolter* für **ascolter*, also auch gleichsam Präfixvertauschung.

2. *e*-Prothese:

P.: *esperique* 199 (Prol.), 275, *especial* 582, 2963, *espirituel* 11659, 27158, *espirituelment* 11466, *estature* 14418.

O.: *especial* 64, 85, 582, *estature* 11762, *espirituelles*
13395.

T.: *especiaulx* 99, *escorpion* 8639, *espirituaulte* 7057,
especialement 27845 (cf. Nyrop § 493).

3. a) *e* ⟨ lat. *i* = neufrz. *i*:

P.: *segnifie* 12789, *segnifiant* 16001, *menistre* 7988,
15719, *menistrer* 25944, *sentement* 1555, 7947, 12746, *magne-
ficence* 5220 (C; aber *magnificence* A, B), *hardement* 13430
(⟨ *hardiement* ⟩ *hardiment*, cf. Schwan-B. § 268: *ę* im Hiat
zu vorhergehendem nebentonigen *i* schwindet seit 14. s.):
Phelipe 10938, 12847, *ygnomenieuse* 27477, *nourreture* 24128
(*i* ⟨ *nourrir* übertragen), *senestre* 3375, 24536, *speritable*
29603, *fragelite* 25453 (C; aber A, B = *fragileté*), *fenir*
38, 2730 (cf. Nyrop § 151 Anm.: Vorton. *ĭ* ⟩ *e*, wenn in
Folgesilbe ein *i* steht); *deable* 189, 473, 657, 10451, 12753,
15155, *leonesse* 23050, *leesse* 32081, *phariseens* 27487: *i* ⟩ *e*
geschwächt in unbetonter Vortonsilbe, cf. Neumann p. 63,
Apfelstedt § 67.

O.: *descorde* 244, *hardement* 16363, *semetiere* 18213,
19708, *sentement* 18655, *senestre* 24871.

T.: *segnifie* 6428, *sentement* 13530, 15646, 17703, *hardement* 10085, 21785, *meilieu* 4840, *segnifiance* 3775, *previlaige*

219, *devisez* 15903, *senestre* 24886, *leonceaulx* 9990, *leesse* 1719, *segnifience* 6158, 6368, 7155.

Anm.: *alligence* P. 1489: *i* ⟨ *e* durch Palatal.

b) *e* ⟨ vorton. lat. *o*:

P.: *demaine* 834, 968, 2310, 24662, *fessilliée* 21991 (C; A, B = *fossoyee*).

O.: *demaine* 4215.

T.: *demaine* 67, *bretenie* 6306, cf. Thurot p. 267: Nebentoniges *o* oft ⟩ *e* durch Abschwächung, so sagt Palsgrave über je commence „plusieurs Parisiens doivent prendre garde à une mauvaise prononciation de ce verbe, que j'ay remarqué mesme en des personnes celebres à la chaire et au barreau... ils prononcent „commencer" tout de mesme que si l'on escrivait „quemencer". Dieselbe Abschwächung O. *prepoux* 19266 und *preminent* 14983, möglicherweise hat hier das häufigere Präfix *pre-* gewirkt, also gleichsam Präfixvertauschung.

c) *e* für *ai* wie in betonter Silbe:

P.: *lesser* 8097, 9205, *clerement* 716, 8923, *raffrechir* 8323.

O.: *rabesser* 272.

T.: *frescheur* 1519, *certenement* 385, *villenement* 15545, *fecteurs* 13728, *nessence* 330.

d) *e* wo neufrz. *ie*:

O.: *perrerie* 3398 (lautgesetzl., *pierrerie* auch nach *pierre*).

T.: *brefuement* 1857 (*ie* anal. nach *brief*), *asseyier* 8654, 21365, 22123 (*assiéger* anal. nach stammbet. Formen).

4. *e* für vlt. *o* vor Nasal:

P.: *excommenions* 14538, 22711, *excommenié* 14393 (lautgesetzl.).

5. *e* = lat. *e* wo sonst meist *oi*:

P.: fremdwörtl. *e* in *leaulte* 30595, 30698, *leal* 5913, *desleal* 10791, 28719, 31992, *leaulment* 5567, 21542, 23976; *piteable* 5721, 12295 (anal. *apitoyer* = *pitoyable*), cf. Meyer-

L.: hist. frz. Gram. I p. 113 § 141: *vecy* 685 (⟨ *ves* + *i*, *voici* ist an *voi* angeglichen).

O.: *vela* 19850 (*voilà* anal. nach *voi*), *veage* 20338, 3304 ist die ursprüngliche Form.

T.: *vecy* 3124, 71131, 16666, 14790.

6. *e* + *l* für *eu* + *l*:

P.: *veillez* 5185, 18293.

T.: *veillez* 1625, 13533, 21846, *feillet* T. (Prol.) 72. cf. Haupttonvokale § 11, 5.

7. *e* + *l* für *a* + *l*:

T.: *traveiller* 6208, 9257. cf. Haupttonvokale § 3, 5 c.

8. *e* vor pal. *ǧ*:

T.: *asseiger* 3502, *alleigement* 6767, *seicher* 11568, *asseiger* 18495. Aussprache ist nicht bestimmbar, da keine Reime vorhanden sind, cf. Haupttonvokale § 3, 9.

§ 24. Unbetontes *e* vor Nasal.

1. *ẽ* für *ã* in umgekehrter Schreibung:

P.: *menger* 2333, 7521, *mengoye* 690, *pennetiere* 4665.

O.: *avencé* 21936, *garentir* 16842.

T.: *commendement* 192, 21882, *denger* 3921, *arrengier* 8130.

2. *ẽ* für *õ*:

P.: *volente* 768, 2299, 1386, 10985, 17701, 20360, 28416, *volentiers* 9614, 11150, *en* (⟨ *homo*) 12130.

O.: *volente* 101, 2999, *volentiers* 3581, *nen* 394, 12130, *nenpourtant* 2589.

T.: *volentiers* 26878, *voulente* 1219, 9077, 25450. Nebentonig *on* ⟩ *en* ist lautgesetzlich.

3. *ẽ* für sonstiges frz. *oin*:

P.: *amendrissant* 259, *mendrissant* 10247.

4. *en* für gewöhnl. *ien*:

P.: *beneuree* 261, 3156, 16517, 19983, 23234, 29067, 31166, *beneureuse* 11198, *beneureux* 18430 (neufrz. anal. nach *bien*), *soustendra* 8293.

O.: *tendrons* 18955, *tendra* 449.

P.: *tendroit* 6046 usw. (cf. stammabstufende Verba).

a.

§ 25. a vor oralen Konsonanten.

1. a) *a* für sonstiges frz. *e*:

P.: *rachatés* 26300 (cf. Nyrop I § 169: *achater* d. d. Verba auf *-eter* beeinflußt, *achate* noch im XVI. s. gebraucht), *ramentavoir* 2813, *rasolu* 27226 (*ra* für *re* ist Präfixvertauschung), *astrange* 3684, *vrayament* 10767, (C; A und B = *vrayement*).

O.: *rachates* 3774, *ramenbrance* 2082, 9036, 11070, *parlamenter* 6019, 18888.

T.: *chanu* 18116, 20819, 20824, 21603, *orfaverie* 5122, 7869, 9998, 19418, 25059 (*orfeverie* analog *orfèvre*, wo *e* lautgesetzlich ist), *astrange* 20598 (Präfixvertauschung).

b) *a* vor *r* + cons.:

P.: *parsonnes* 175, 933, 3209, 13093, 14943, 15675, 17603, *pardurable* 15841, 27291, *apparcoy* 29433, *parvers* 1258, 20454, 32458, 32700, *sarcus* 27226, *pardu* 824, 656, *espardue* 20275, 29287.

O.: *charcher* 17271, *sarreront* 2516, *apparcevpir* 17873, *pardoit* 5033.

T.: *parvers* 20454, *charra* 22200, *apparcevoir* 11057, 20214, 25367, *pardurablement* 24881, cf. Apfelstedt § 25: Der Übergang von *e* 〉 *a* vor *l* und *r* besonders häufig in Burgund; cf. Haupttonvokale § 5, 2.

c) *a* statt neufrz. *ai*:

P.: *fantasie* 27254, 29709, *radement* 10684 (B, C; A = *raidement*), *refrachir* 624, *radeur* 20147, *malfocteur* 21031, 21085, 21364.

O.: *fantasie* 12724, 2915, 31413, *refrachir* 644, 11260, *refrachissez* 9021, *prarie* 18484.

T.: *traroye* 8543, *fasoient* 8838, *exclarcie* 2484 (lautgesetzl., anal. *clair* = *esclaircir*), cf. Haupttonvokale § 5, 1. b.

d) *-al* für *-ail*:

P.: *allieurs* 2500, 11398.

T.: *allieurs* 25764.

e) Fremdwörtl. *al* für sonstiges *el*:

P.: *realement* 6132, 14304, 27393.

T.: *universallement* 5357, 5635, 9048, *essenciallement* 24862 (cf. § 5, 3).

f) *a* für lat. *o*:

P.: *achaison* 268, 611.

O.: *achaison* 9198.

T.: *achaison* 22885, 27177. Fernassimilation, namentlich bei *a*, cf. Meyer-L.: Hist. frz. Formenlehre I § 226.

Anm.: *arondelle* T. 2420, cf. S. Eckhardt p. 82: *aronde* ist die gewöhnliche afrz. Form ⟨ *hirundo* (Wechsel von *er* ⟩ *ar*), neufrz. *hirondelle* ist fremdwörtlich; *aronde* ist nur noch in neufrz. *queue d'aronde* enthalten.

2. a) *a* vor pal. *g̃*, *ch*:

P.: *enraigier* 27274, *saichons* 27414.

O.: *oultraige* 3699, 2596, *saigement* 1455, 2559.

T.: *domaigeuse* 2328, *messaiger* 3119, *soulaigement* 10958, 13582, *couraigeulx* 1689, *saigesse* 25009, *dommaigable* 12058 (cf. § 5, 6 a *δ*).

b) *aign* für *agn*:

P.: *aigneau* 1031, 4791, 5165, *aignel* 10034, *compaignie* 770, 7456, 27267.

O.: *aigneau* 1231, *compaignie* 3496, 7572, *gaigner* 2951, *gaignage* 15541.

T.: *compaignons* 2294, 2542, 3572, *gaigner* 8875, *compaignie* 7329, 7572, 14133, 20188 (cf. § 5, 7).

3. *a* ⟨ lat. *ae* i. Hiat zu *a*:

P.: *aage* 860, 5530, 28706, 9020, 9395, 8845, 8969, 10018, 10284, 14444.

T.: 5447, 4899, 9178, 20205, 21273, cf. Neumann p. 63. Assimilation oder Antizipierung des *a*-Klanges; Tobler p. 48; Nyrop I § 264.

§ 26. *a* vor N a s a l.

1. *ã* für *ẽ*:

P.: *samblable* 1947, *santence* 11733, *revangeroient* 11430, *annoy* 9336, *assamblée* 20557, *vangeance* 27149.

O.: *anemis* 1058, 1876, 2039, 2585, *villanye* 5497, 7730, 11458, *solanité* 17007, *pragnions* 12672.

T.: *prudamment* 4570, *villanye* 379, 817, *rancontrer* 4636, *prevandrez* 7165.

2. *ã* für *ain*:

P.: *mantenant* 15634, *amiable* 10311, 15416, 15955.

O.: *ancois* 15867, *amiablement* 7627.

T.: *amiable* 20770, 25656, 26214 (*aimables* anal. stamm-betonten Formen von *aimer*), *amasse* 24481, *amoye* 25460 (s. stammabstuf. Verbum).

o, ou.

§ 27. *o, ou* vor oralen Konsonanten.

1. a) *o* wo neufrz. lautgesetzliches *ou*:

P.: *fornaise* 434, *fornie* 540, *troppeau* 4844, *volu* 5788, *proesse* 8537, *solas* 6855, *desnoer* 2094, *rigoreux* 2751, *dolante* 9266, 9361, *loborons* 10883, *doloureux* 24133, *doleurs* 27129, 30837, 32995, *espoventé* 19125.

O.: *rigoreux* 1283, *doleurs* 3685, *morir* 1837, *obliray* 3886, *oyr* 3690, *proesse* 8366, *pastorelle* 7151, *botons* 9650, *espoventer* 2412, *sommis* 16210, *sostenir* 18910, *costera* 20020.

T.: *savorant* 10, *por* 1931, *destorbement* 26739, *obliray* 12427, *moilleray* 17663, *tropeau* 5628, *espovente* 9085, 30991: *o* für *ou* graphisch, cf. Schwan-B. § 91 Anm.

b) *ou* ‹ lat. *o*, wo d. neufrz. *o* hat:

P.: *fourbannie* 666, *souleil* 12676, *aproucher* 13955, *voulente* 18703, 26123, *honoures* 17460, *ourne* 24034.

O.: *prouffitable* 231, *voulentiers* 1392, *repouse* 5179, *fousses* 5559, *devoure* 8206, *souleil* 5965, *ouster* 10609.

T.: *boucaige* 9579, *honnouree* 2130, *moument* 1398, *aprouchee* 2488, *courail* 2956, *oudeurs* 13723 (cf. unter *a*).

Anm.: *ou* ‹ lat. *ũ*: *jourons* P. 19188; hierin liegt vielleicht ein dialektischer Zug des Maine-Gebietes, cf. Goerlich, Frz. Stud. V. p. 100: Vorton. *u* ‹ lat. *ũ* geht dialektisch manchmal in *ou* über.

4*

Go gle

2. *ou* 〈 lat. *au* = neufrz. *au*:

P.: *toureaux* 912.

O.: *appouvrie* 21596.

T.: *pouvrete* 24005, 24976, 25716, *pouvrement* 3786.
cf. Meyer-L. I § 286: *pouvre* = westfrz. Form, die etwa
im 16. s. auch nach Paris eingedrungen ist. Vielleicht ist
ou für *au* auch nur ein Zeichen für geschlossene Aussprache
des *au* 〉 ǫ 〉 ọ.

3. *o, ou* 〈 lat. *o* [wo neufrz. *eu*:

P.: *eu : seignorie* 22227, 23883: (neufrz. *eu* ist Einfluß
von *seigneur*), *plorer* 28747 (lautges. *pleurer* anal. *pleures*
usw.), *plorera* 5517, *plourer* 859, *demourons* (lautges., neufrz.
eu anal. nach stammbetonten Formen).

O.: *demourer* 1413.

T.: *paoureux* 13334, *plourant* 1371.

4. a) *o* für *a* 〈 lat. *a* wo sonst frz. *a*:

O.: *ovec* 4984, 8793, 15790, 20365, hierbei spielt der
Einfluß des afrz. *od* 〈 *apud* mit.

T.: *orbalestriers* 6798.

b) vorton. *o* für *e*:

rotournons 27458, also *o* für *e*, wahrscheinlich auf Assimilation beruhend.

§ 28. *o* vor Nasal.

1. Nebentonig *un* für *on* = lat. Schreibung:

P.: *triumphant* 661, 15508, *annunca* 9683, *presumpcion*
18009, 19157, 20293, *unction* 28430, 29230, *umbrage* 30634.

O.: *triumphant* 1141, *sumptueuse* 8888, *tumbera* 2566,
2833.

T.: *corrumpue* 1474, 1640, 2159, *tumbeau* 2833, 13671,
19423, 27274, 27445, *habundance* 1474, *habundamment* 1912.
(Wiederherstellung des lat. Schriftbildes, also nur graphisch.)

Anm.: *o* cons. für *ou* cons.: *goffanon* T. 21116. Zeichen für beginnende
Entnasalierung.

2. $o + \tilde{n} = \ddot{o}\tilde{n}$:

P.: *tesmongnage* 14608, 21474, *songneux* 6398, 9896, 26319, *songneusement* 3733, 3984, 5949, 6398, 13871, 18749, 27097, *eslongne* 9296, *tesmongner* 20506.

O.: *songneusement* 5042, 7541, *tesmongnage* 11499, 11844.

T.: *songneux* 7099, 7384, *eslongnez* 2513, 7973, *eslongnement* 14006.

u, eu = ö.

§ 29. Vort. *ü*; *eu = ö* vor oral. Kons.

1. *ü* für *e* ⟨ lat. *i*:

P.: *buveray* 18096: Meyer-L. Hist. frz. Gram. I § 314: *e* ⟩ *u* infolge interlabialer Stellung, Labialisierung des *e*, dasselbe gilt wohl auch für *bruvaige* 11270, 11278, 17903, 26373, 32629, *abruver* 30132, cf. Apfelstedt § 38: vlt. *ę* ⟩ *u* nach b; Sophie Eckhardt p. 71.

2. *ü* für sonstiges *eu*:

P.: *hurtans* 10517, *hurture* 3949, 18656, *murtré* 7904.

O.: *hurter* 17436, *murtriz* 3143, 8207, 16275, 17060, cf. Meyer-L.: Hist. frz. Gram. I § 104: Wechsel von *u* und *eu*.

3. *u* für *ou* ⟨ lat. *ü*:

P.: *submis* 1632, 13238, 29906, *submect* 3079.

T.: *submise* 1402, 26925, *iuvencel* 19752, *sustrait* 25773. Etymol. Schreibung.

Anm.: Einmal findet sich *ü* i. R. m. *i* : *refuge* : *tige* T. 21283 (Chatelain p. 15 gibt noch viele solcher Reime aus anderen Texten an).

2. Diphthonge.

ai, ei.

§ 30. *ai, ei* vor oralen Konsonanten:

1. *ai* für *a* ⟨ lat. *a*:

P.: *declairer* 13877, *declairez* 2775, 34326 (*ai* anal. n. stammbet. Formen, in denen *ai* für *e* steht).

T.: *clairons* 9821 (anal. *clair*), *pairage* (Einfl. v. *pair* für *per* ⟨ *parem*), *declaireray* 4723, 8866, *vaisselage* 9188, 27416. Dialekt. a ⟩ *ai* vor *ss*.

2. *ai* für *e*:

P.: *guaittier* 23968.

O.: *gairir* 20358.

T.: *gairissement* 9043, *revairray* 27909 (*ai* = *e*). Über *e* für *ai* § 23, 3 c.

3. *ai* für *oi*:

T.: *souldaiers* 8060.

§ 31. *ai* vor Nasal.

1. a) *en*, *em* für *ain*, *aim*:

O.: *certenement* 16169, *emeroye* 14220.

T.: *ensi* 18193, *certenement* 385.

• b) *ain* für *en*:

O.: *acertainée* 9080, cf. § 13.

2. a) *ain* für *an*:

P.: *plainiere* 22211, 25738 (anal. n. *plaine*); *plainiere* T. 159.

b) *ain* für *in* ⟨ lat. *in*:

P.: *relainquira* 613, cf. Haupttonvokale § 2, 3 b.

oi.

§ 32. Vortonig *oi* vor oralen Konson.:

1. a) *oi* für *ai* ⟨ lat. *a* + *i*:

P.: *achoison* 611, 268, *oroison* 1021, 3412, 4859, 8329, 11404, 12165, 18701, 28773, 29843, 32954, 33650, *comparoison* 7359, *arestoison* 10342, *roisin* 22632.

O.: *venoisons* 14226, *oroisons* 14196, *achoison* 9198.

T.: *oroisons* 7222, 14307, 14496, *venoisons* 24835, 20845, 29374, 24567, 12797, 21875. (Umgekehrte Schreibung.)

b) *oi* ⟨ lat. ę gegenüber neufz. *ai*:

P.: *refroichissez* 6791, *affoiblier* 1462, *affoibly* 1477, 24344, *foiblesse* 4891, 2444.

O.: *refroichir* 13572, 13170, *affoibly* 8475.
T.: *royer* 20310, *foiblesse* 22253.

c) *oi* ⟨ lat. *o* + par. *i* gegenüber neufz. *ai*:

P.: *congnoissant* 565, *congnoissance* 2596.
T.: *congnoistre* (Prol.) 152, 2749, 3751, 3836.

2. *oi* für analogisches *ui* neufz. ⟨ *ǫ* + *i̯*:

P.: *poissant* 4603, *ennoyans* 1942, 2085, *ennoya* 17045, 28564 (*ennuya* anal. n. stammbet. Formen), *appoyent* (anal. n. endungsbet. Formen); *appuyer* neufz. zugunsten der stammbetonten Formen ausgeglichen.

Anm.: *oi* für *o*: O. *doictrine* 10379 (vielleicht lautl. Angleichung an *poitrine*?)

üi.

§ 33. *üi* vor oralen Konsonanten.

1. Älteres *üi* gegenüber nfz. *i*:

P.: *vuidez* 413, *vuidier* 11392.
T: *vuidier* 2535, cf. Nyrop I § 455, 1. Analog nach *vuidier* bildete sich *cuidier*, cf. B. Meyer, Diss. p. 88: *cuidies* T. 947, 1441, *cuidant* 1993.

2. *üi* für *u*:

O.: *luister* 7347, 7731, 7675 ist lautgesetzl, cf. Nyrop § 455, 2.

3. *ui* für sonstiges *uei*:

O.: *cuillir* 616, *recuilleront* 6069, *recuillir* 5952, 5989, *vuillez* 13202 (cf. Apfelstedt, lothr. Ps. 149, 35).

au.

§ 34. Nebentonig *au* vor oralen Kons.

1. a) *au* für lat. *a*:

P.: *Auffrique* 1401, 10659.
T.: *eschaufault* 25227, cf. Auler, Diss. p. 27: *a* ⟩ *au* vor Labialen.

b) *au* für *al* vor Kons. ⟨ *alem*:

P.: *figuraulment* 246, *principaulment* 1448, 6537, *gene-*

Go gle

raulment 4318, *leaulment* 5566, *loyaulment* 5849, 15471, *royaul-*
ment 8780.

T.: *speciaulte* 2103, *chevaulchons* 2902, *perpetuaulte* 7055,
mauldicte 17623, *cruaulte* 27453.

O.: *maugre* 2126, 9466, 16483, *autesse* 17760.

c) *au*, auch *aul* geschrieben für *a*:

P.: *puissaument* 20054.

T.: *puissaulment* 8668, *incessaulment* 19909. Angleichung
an die Wörter auf *al* $>$ *aul*.

2. *au* $<$ lat. *au* für *o*:

P.: *auzer* 19543, *fraullée* 19755. Etymol. Schreibung.

Vokale in Hiatusstellung.

§ 35. Vortonvokale im Wortanlaut und nach Konsonant.

1. Vortoniges Hiatus-*a* ist:

a) erhalten in P. = 7
O. = —
T. = 6.

P.: A|ourez Sathan en parsonne 860	— 8 Silbler
Pour a|ourer ce souverain 6003	— „ „
Et l'a|ourer de bon courage 6543	— „ „
Et m'a|oure et me domine 10663	— „ „
J'ay pa|our que cueur ne luy faille 24750	— „ „
Ne pa|our en vos cueur emprainte 31359	- „ „
Doux fils a|orné 5578	— 5 „
T.: Bien a|orne de fleur de liz 127	— 8 „
De la|omedon qui fut mort 3290	— „ „

b) stumm in P. = 38
O. = 3
T. = 35.

P.: Il a atteint aage parfait 14444	-- 8 Silbler
De paour que ne le compparons 23974	— „ „
Contendant d'en estre saoullé 34351	— „ „

Außerdem noch paour 1575, 4310, 7231, 10602, 15109, 18761, 26654, 28802, 29248, 30280, 32216, 33455; aourer 6816, 8073; saoul, saouler 4653, 5658, 12854, 14985, 20307; Aaron 9775; aage 3990, 4083, 5530, 7868, 8639, 8969, 8853, 8837, 9020, 9395, 10018, 10284, 11638, 28706, 32058:

O.: Vostre presence fera paours 1101 — 8 Silbler
De paour de leur rebellion 1307 — „ „
En l'aage de douze ou treize ans 7230—10 „

T.: Que je suis homme de grant aage 4454 — 8 „
Je suis vieil et si ay grant aage 9178 — „ „
Qui paour auroit 13248 — 4 „

Außerdem noch paour 1692, 1838, 1895, 6815, 11618, 13248, 15837, 16224, 17052, 21079, 24833, 25220, 26863, 27231; aage 703, 1200, 4154, 4899, 9178, 7549, 13411, 15855, 18483, 19040, 21273, 23140, 26305, 27823. Dazu kommen noch viele Fälle, in denen Erhaltung oder Nichterhaltung nicht bestimmbar ist, da nach Tobler p. 63 das vokal. Element eines fem. *e* durch geschlossenere Aussprache so verstärkt werden konnte, daß es Hiatusträger wurde. Nur ein paar Beispiele für viele:

P.: Et m'aourez comme un gobitre 915 — 8 Silbler
Par tout le cours de nostre aage 860 — „ „
O.: Pour les conduire et aourner 4970 — „ „
T.: Vous qui estes aage et vieux 4687 — „ „

2. Vortoniges Hiatus-*e* ist:

a) erhalten P. = 38
O. = 16
T. = 31.

P.: En mes pse|aulmes sont espars 1864 — 8 Silbler
A la divine pourve|ance 32206 — „ „
Que tu es a veoir esche|us 14203 — „ „
Les larmes me che|ent de l'œil 15018 — „ „
Avons de vous ve|oir en vie 15085 — „ „
Ne je ne puis che|ir a taille 17333 — „ „
Nennil ils le he|ent a mort 17425 — „ „
Que de vous ve|oir et tenir 29587 — „ „
Tant qu'il facent che|oir ce bruit 30320 — „ „

Et de fait aucuns l'ont ve|u 7240   — 8 Silbler
Haultesse pre|eminance 5110   — 7   .

Außerdem noch 2788, 4052, 4513, 5102, 5457, 6725, 6114, 6211, 6504, 8390, 8797, 9562, 11249, 12295, 11311, 14182, 16268, 30420, 32075, 33198, 33872, 24615, 29798, 34355.

O.: Pour che|oir en desespoir 13154   — 8 Silbler
Veullent avoir vostre he|aulme 10030 — „   „
Vous avez hé|u du couroux 10027 — „   „
Que j'é ve|u choir sur sa teste 16382 — „   „
Qui l'a fait à terre ché|oir 16385 — „   „
Pourront che|oir en grant misere 12550 — „   „

Außerdem noch 12742, 13080, 16399, 17416, 18797, 20152, 19914.

T.: Aulcun qui ayt pre|eminence 16533   — 8 Silbler
Puisqu'il vous a ple|u l'eslire 14096 — „   „
Amis et fe|aulx conseilliers 21307 — „   „
Forme foy et grant fe|aulte 26826 — „   „
Et en thumbeau le feray asse|oir 19094   10   „

Weitere Fälle 11692, 11117, 7076, 8919, 6153, 5361, 5074, 4820, 4457, 3712, 3455, 2876, 2282, 2131, 1634, 641, 374, 224, 142.

In allen diesen Fällen wird *e* sicher gesprochen, zweifelhaft sind wieder eine Reihe von Fällen, in denen nicht bestimmbar ist, ob nicht ein femin. „*e*“ Hiatusträger ist, dazu einige Beispiele:

P.: Onques ne fut en nostre eage 26112   — 8 Silbler
Rue cest estelle avez veue 6472 — „   „
O.: A grant joye estes receue 14652 — „   „
T.: Que je vous feisse assavoir 11927 — „   „
Estoye en honneur esleue 24920 — „   „
b) stumm in P. = 426
O. = 147
T. = 443.

P.: Or sont ils plantés, les veez la 1656   — 8 Silbler
De ce que nous y avons veue 29298 — „   „
Tout vendra a neant à la fin 16732 — „   „

Außerdem in: veissions 19353, veys 5292, sceusse 5299, creurent 12680, veue 5668, 2912, feusse 1295, feiz 11365, deu 7003, escheute 9777, 2709, seurs 6648, neant 6963, 26634, meu 3883, euz 2328, sceu 2147, deceu 924, meistes 11310, beneyssons 525, 3971 etc.

O.: Messeigneurs, avez veu comment 2583 — 8 Silbler
Quant lui a pleu nous faire mandement
20459 — 10 Silbler
Et veu aussi que avons leurs seigneurs
39 — 10 Silbler

Außerdem in: veue 8775, 9322, feissiez 9786, deu 14723, 15746, deust 10366, escheute 16408, seurs 7484, deceu 19224, receuz 709, 414, heaulme 16546, aleure 11759, pleust 8166, 8383, esleu 4397, apperceue 3733.

T.: Car je ne veis la verdoyer (Prol.) 51 — 8 Silbler
Je meisse mon corps en dangier 14407 — „ „

Außerdem noch: feisse 238, neant 20519, 21915, apperceu 55, 63, peu 40 (Prol.), veez 287, 6056, 7332, feust 651, congneu 736, preeminence 22948, cf. Tobler p. 47, benisson 8046, 9798. Belege in anderen Texten cf. Brunot I p. 409.

§ 36. Vortoniges Hiatus-*e* im Inlaut nach Vokal.

Vortoniges Hiatus-*e*:
a) gezählt in P. = 16
O. = 22
T. = 45.

In diesen Fällen also Zählung nach afz. Weise.

P.: Vray|ement louer vous devons 337 — 8 Silbler
En ly seul mon pay|ement gist 3276 — . .
Weitere Beispiele 2761, 2941, 3126, 3276, 5098, 10519, 12544 usw.

O.: D'un coup de canon vray|ement 3565 -- 8 Silbler
Y n'y failloit riens vray|ement 3599 — „ „
Et est son voloir vray|ement 10229 — „ „
Weitere Beispiele vray|ement 5812, 15747, 15916, 20388, foli|ement 11390, pay|ement 12174 usw.

T.: Me dist que cestoit vray|ement 147 — 8 Silbler

Weitere Beispiele vray|ement 647, 4565, 11714, coy|ement 17928, joli|ement 4844 usw.

b) nicht gezählt in P. = 18

O. = 17

T. = 24.

Zählung erfolgt also hier nach neufz. Art.

P.: Hardiement tout au milieu d'eulx 29224 — 8 Silbler

On peust donner congé vrayement 27806 — „ „

Ebenso in 10073, 11412, 13149, 18329, 26566, 27806, 29224, 31199 usw.

O.: L'envoyerez pescher aux poissons 2814 — 8 Silbler.

Ausserdem noch: vrayement 3530, paiera 6509, 15246, 15267, hardiement 491, emploieray 957, 6146, envoyerons 7436 usw.

T.: Il envoyera son fils Paris 883 — 8 Silbler

Si prierons pour nos bons amis 14262 — „ „

Et plus priveement qu'a aultruy 12937 — „ „

Weitere Beispiele: 2162, 14902, 15823, 16235, 19168, signifiement 6366, priveement 12937 usw.

Wie der Vergleich der angegebenen Zahlen ergibt, ist in P. fast Gleichheit zwischen afz. und nfz. Zählweise, in O. die afz. Zählung überwiegend, in T. fast die doppelte Zahl der Fälle nach afz. Zählung.

§ 37. Nachtoniges Hiatus-*e* im Versinnern.

1. Nach Monophthong.

a) gezählt wie afz. in P. = 142

O. = 110

T. = 186.

P.: Et soit reppare|e de tout 2860 — 8 Silbler

Qui par envi|e luy vendra 1871 — „ „

Mari|e, de vers vous m'adresse 11124 — „ „

C'est foli|e qui le surprent 13435 — „ „

Qui a sa venu|e s'assemble 13373 — „ „

Or suis je venge|e de toy 12191 — „ „

Quant la mort desservy|e n'as 13106 — „ „

O.: Si vous pri|e, seigneurs barons 505 — „ „

Si vous pri|e tant que je puis 4291 — „ „

Venu|e d'estrange pays 11796 — „ „

Außerdem noch 9688, 16258, 19119 usw.

T.: Dicte|e moult soutifuement 20   — 8 Silbler
     Compose|es moult proprement 2178   — „ „
     Je vous suppli|e doulcement 1889   — „ „
     Je te pri|e en reverance 14446   — ‚ „
     Nostre venu|e de tous deux 4931   —. „ „
Außerdem noch in 1822, 3122, 4207 usw.

     b) nicht gezählt wie neufz. P. = 23
                         O. = 25
                         T. = 48.

P.: Ont desiré par pensées bonnes 12733   — 8 Silbler
     Et attachee de toutes pars 24813   ·   — „ „
     Car, elle ostee, vostre divinité 25455 — 10 „

O.: Qui vous prient que viengnez vous tous
                           1761 — 8 „
     Dont y vous mercie de corage 17765   — „ „
     Messagier va et n'oublye pas 739   — „ „

T.: Venez moi compaignie tenir 2809   — „ „
     Tirez vos espees toutes nues 2511   — „ „
     Tu es cel en qui je me fie le plus 2092 — 10 „

2. Nach Diphthong:

     a) gezählt nach afz. Regel in P. = 219
                           O. = 106
                           T. = 253.

P.: Qu'enfin je n'en soi|e desert 10464   — 8 Silbler
     De l'eau|e pour mes pies laver 13989 — „ „
     Ne soy|ent les humbles et bons 16759 — „ „
     En l'eau|e me baptizeras 10390   — „ „

O.: Adfin que soi|ent resjouys 4293   —· „ „
     Estoi|ent allez au devant 8929   — „ „
     Qu'i se voy|ent de nous enclos 19267 — „ „
     Si seroi|e d'oppinion 977   ·· „ „
     N'avoi|ent nulle esperance 3966   — „ „

T.: Qui touchoi|ent la fleur de lis 85   · „ „
     De troy|e le destourbement 25949   — „ „
     Vous en aurez des joy|es nouvelles 2745 — „ „
     Et tenoy|e de mon costé 24936   · „ „

b) nicht gezählt wie neufz. P. = 64

O. = 58

T. = 74.

P.: Attoucheroyes pour en menger 2333 — 8 Silbler

En eaue clere, mes vous avez 10238 — „ „

helas! qu'avoies tu desservy 28652 — „ „

Be, tu ne scaroies. Mon beau sire 19743 — „ „

O.: En seroient tantost advenuz 1906 — „ „

Qui sont a demye lieue de nous 8621 — „ „

A ses dis que c'estoient iceulx 11046 — „ „

T.: Quant je fus devant troye la grant 723 — „ „

Que l'eaue de la mer est parfonde 48 (Prol.)

Je les vouldroie par tel fureur requerre 4761

Qui pourroient venir entre nous 5602.

Die Zählung erfolgt noch zum größten Teile auf afz. Art in allen 3 Texten, sowohl nach Monophthongen als auch nach Diphthongen; die neufz. Zählung ist noch nicht durchgedrungen, sie ist noch ziemlich im Beginn ihrer Entwicklung. Dabei tritt der Unterschied zutage, daß nach Monophthong (wie es ja leicht erklärlich ist) -e öfters erhalten ist, denn während das Verhältnis der Erhaltung zur Nichterhaltung nach Diphthongen annähernd 3 : 1 oder 2 : 1 ist, wie der Vergleich der Zahlen ergibt, haben wir nach Monophthong das Verhältnis von annähernd 6 : 1 und 4 : 1. Die Texte zeigen deutlich, wie allmählich der Prozeß fortgeschritten ist und wodurch er veranlaßt wurde.

§ 38. Vokalverbindungen, die lat. schon Hiat bildeten oder neufz. durch Konsonantenschwund in Hiatstellung kamen.

1. Vokalverbindungen, lat. schon im Hiat:

P.: de|able 2280, meist deables 23310, 23328, 25863, 26257, de|ite 3062, 3112, 26317, i|on, i|eux ⟨ iosum, i|en ⟨ ianum meist 2 silbig: graci|eux 1539, 25362, furi|eux 1699, preci|eux 4029, 4125, 12624, sediti|eux 13562, Pharisi|ens 12511, celesti|en 25483; i|ent ⟨ ientem : expedi|ent 8278, 33020, Mo|yse 20368, doch dea 17098, 25624, anciens 33443.

O.: glori|euse 6921, 20351, victori|eux 18237, incon-
veni|ent 6474, 11454, 18226, cresti|ens 10260, anci|ens 18553,
le|ans 10250, 12137, 13479, 17425, ·hingegen ist Orleans
1536, 1687, 1691, 2137, 6690, 9373 usw. durchweg ohne
Hiatus gebraucht, im ganzen nur als aus zwei Silben be-
stehend betrachtet.

T.: melancoli|eux 804, 4429, graci|eulx 3086, victori|eulx
27042, glori|eulx 14281, 16270, pri|am 339, 873, 2275, 22638,
aber priam 777, 20900, ly|on 10648, anci|ens 1829, 14825,
doch anciens 15407, sci|ence 2034, 3549, 3759, 3761, ce|ans
2536, humili|er 802, remedi|er 2534, cf. Tobler p. 73: Vokale,
die schon lat. im Hiat waren, bleiben es auch neufz.·

2. Lat. durch Kons. getrennte Vokale im Hiat:

P.: a|yde 216, 593, 5813, 9978, 7581, aïe mit *d* nach
aides, aber ayde 25583, vi|ande 11659, 12032, 13804, 14731,
17665, 32519, fri|ande 17664, ha|ine 14925, tra|istres 20179,
21681, 22078, 25491, 32700, dagegen trahitres 21823 ist
2 silbig (nicht 3 silbig) trotz des *h*, das meist Hiataussprache
bedeutet, *h* ist daher wahrscheinlich nur irrtümlich in das
Wort gekommen, analog der Fälle, in denen *a + i* im Hiat
steht, was ja bei tra|itres in unserem Texte sonst noch
durchweg der Fall ist; ebenso hat Jehan 20010 auch *h*, das
hier ebenfalls keine Bedeutung, keinen Sinn hat: que saint
Jehan prescha au desert (8 Silbler), während in „Jehan,
mon tres ame nepveu 21190 das *h* = hiatanzeigend ist,
Ju|ifz 13042, 14924, 27110, publi|er 4318, purifi|ee 7125,
verifi|ees 8954, rectifi|ez 10059, signifi|er 11131, pa|ys 1368,
5933, 12146, 12593, moy|en 10172, 10393, ne|ant 6315, 11821,
16099, 23543, se|ant 26080, fa|on 16091, pri|ere 4015, 11132,
21814, ou|ir 12736, o|ye 12726, 12794, o|y (⟨ hoc illum)
16127, 16291, 17369, ce|ans (⟨ ecce intus) 23308.

O.: a|yde 3418, 5324, 5750, aber ayde 2936, 5260,
pa|ys 336, 916, 7267, 8500, 9362, 10200, 14074, li|esse
3501, 8105, ce|ans 5295, fy|er 10395, 11997, pri|er 4373,
cri|er 12408, ne|ant 2660, 6873, 12421, 14123, esbaysse-
ment 9328.

T.: ha|ineuse 3270, 18637, ha|ir 8970, 15899, 19190,
ha|yne 12226, 17652, 24183, 27106, dagegen hayne

18763, aber die Hiatstellung ist vorherrschend; tra|itre 1195, 18045, 22148, aber traitre 11923, 11989, 12019, 18074, 18644, 17165, 17784, 26760; tra|ison 9004, 10708, 11972, 12880, 14936, 16771, 18357, 19740, 20498; ou|yr 1463, 4170, 6714, 25430, 25512, 26901; o y 9067, 10349, 14494, 26527, 23872, aber oy 666 (Indik. praes.); ouyssez 14783, je oye 20839, 8851 (Konj. prs.); pa ys 5295, 6183, 16013, 17541; aide 14324, 19832, in diesem Texte ist „aide“ nur 1 silbig gebraucht; vi|ande 11374, ne|antmoins 16433, 25475, 26607, obli|er 2473, 21358, li|esse 24773, pri|er 6756, salu|ee 17837, 18460, cf. Tobler p. 69: Vokale, zwischen denen ein Konson. 'gestanden hat, gehören verschiedenen Silben an, z. B. pri|a ⟨ precat.

§ 39. Diärese.

1. Diärese ohne Rücksicht auf vorhergehende Konsonantengruppen oder Konsonant:

P.: plaini|ere 159, bi|en 5739.

O.: chi|ens 11855, mi|eulx 18074, hy|er 14152, 14129, 18527.

T.: mi|eulx 5056, Di|eu 2547.

2. Neufrz. Diärese nach Muta + Liquida, die in unseren Texten erst geringe Spuren aufweist:

P.: brief 215, 944, 1434, 8125, 8227, 12765, 21920, 28120, 31520; briefve 13446, 13708, 14036, 23294, 23473, briefment 16271, 18013, 23389, 29052, 32644, 33076, grief 1306, 10258, 14687, 15708, 23220, 25507, griefve 14727, 18393, 23189, 23204, meurtriers 21654, 22532, 22576, 30882, encombrier 31722, ouvrier 25194, arbrier 30892.

O.: encombrier 1178, 1851, 1968, 2661, 3446, 6794, 8863, levrier 2878, ouvriers 3973, 3993, 5326, 9123, 2541, brief 3184, aber ouvri|er 2668, gri|efment 13916.

T.: brief 7452, 14135, 14667, 15997, 12284, griefuement 9038, aber gri|efment 3282, 10680; briefment 8251, 12309, 13650, 14914, 15373, 25306, aber bri|efment 5924, 6453, 6970, 7166, triefues 11382, 14116, 14136, 14220, 14340,

15327, encombrier 19811, meurtrier 14517, 23194, ouvriers 2192, 19387, 19416, 26059. Also erst sehr vereinzelte Spuren einer Diärese nach Muta + Liquida.

§ 40. Elision.

Cf. Tobler p. 56 f. Für das neufrz. ist Elision = obligatorisch, für das afrz. = fakultativ für *ne, ce, que, se* (⟨ lat. *si*), *se* (⟨ lat. *sic*); für d. tonl. Pronomina *me, te, se, le, la* ist sie fakultativ nur dann, wenn sie einem Verbum nachfolgen, stehen sie dagegen dem Verbum voran, so ist die Elision unerläßlich.

Im Texte P. findet meist Elision statt. Von den Herausgebern des Textes P. ist jedesmal Apostroph gesetzt, wo Elision eintreten muß, nur die Varianten vertreten, wenn auch verhältnismäßig selten alte Schreibweise, nämlich ausgeschriebenes *que* usw. vor Vokal bei Elision oder Nichtelision. Also P. unterscheidet sich von O. und T. darin wesentlich, daß bei ihm die neufrz. obligatorische Elision viel weiter durchgeführt ist, während O. und T. noch ganz altfrz. vorgehen, abwechselnd elidieren oder nicht elidieren.

que: a) elidiert in P. = — 1 Variante
O. = 21
T. = 264.

Sonst in P. stets einfach *qu'* vor Vokal.

P.: Dieu doint qu'a bon port nous amaine 5813.
Variante C: que a bon port.

O.: Et que avoir fault les environs 1427.
Ainsi que autreffois fait avons 1511.
Que ung loup me vint esgratigner 2886.

T.: Ce croy tout ce que avez voulu 3028.
Afin que a mon gre la regarde 3832.
Que ay en mon cueur si en sont bien dolens 1951.

b) nicht elidiert in P. = 1 Var.
O. = 179
T. = 23.

5

P.: Quar au temps dont il nous sermonne 8968
    Variante: C = que | il nous.

O.: Si vous pry que | advisez dont 3827
    Messeigneurs puisque | il vous plaist 1177.
    Que | avons volu retenir 8169
    C'est que | au port nous nous trouvons 507.
    Que | en vostre protecti|on 326
    Que | a vos anemis donner 3069
    Que | ainsi que | en reclusaige 15379.

Dann noch 14983, 15071, 15509, 16349, 17097, 19218, 14824 usw.

T.: Que | avant en nuyt que demain 8922
    Et faictes que | ayez vengence 13167
    Que | un bon prince doit ainsi 15597
    A ceulx que | aurez confondus 20785
    Que | avons devant cy este 23916
    Que | ulixes par sa prudence 25700
    Que | avoir mis tant de gens en danger 21368 —
                                              10 Silbler.

Noch 12623, 15815, 16969, 22125, 23025, 24140, 27268.
        ne: a) elidiert in P. = —
                    O. = 7
                    T. = 19.

P.: Aultre roy n'aultre cappitaine 6162.
    Que cueur n'en peust plus, beaux amis 9284 —
    Mes ame n'en scet quelque chose 9294.
    b) nicht elidiert in P. = 6 und 2 Var.
                    O. = 43
                    T. = 56.

P.: Ne poons venir ne | attaindre 1803 — 8 Silbler,
    Que cueur humain peut penser ne enquerre 6675
                                          — 10 Silbler,
    Par moy a parens ne | amis 18234   — 8 Silbler
    Ne doit pas ne | a ma simplesse 10413 — „   „
    Ne verra en corps ne | en ame 11462 — „   „
    Voicy ung heaulme | en bourgeois 17392 — „   „
    Christus servir et adorer 8820   — „ „
        Variante = servir ne | adorer.

O.: Ne | aucnn inconveni|ent 2662   — 8 Silbler
     Ne | autre chose je n'atend 2377   — „ „
     Ne|y faire dilaci|on 235   — „ „
T.: Ne | aussi parvenir jamais 15490   — „ „
     Ne | a nul homme mariee 15044   — „ „

de: a) elidiert in P. = —
O. = 25
T. = 33.

P.: Et si est bien d'utilite 3172
     J'ai grant horreur du regarder 20947
         Variante C = de y.
O.: De doubte de inconvenient 11462
     Sur peine de en estre pugny 17235
Noch 8653, 8835, 11623.
T.: Et le sang de humaine nature 6499 — 8 Silbler
     De exerciter pour paour de traison 18166.
Noch 18166, 18503, 18953, 19211, 19765.

b) nicht elidiert: P. = —
O. = 9
T. = 4.

O.: De | assaillir de très bon hait 15846
     De | acomplir vos faulx abus 17196
     De | assembler nostre puissance 978.
Noch in 15182, 16223, 17196, 18942, 19997.
T.: De | accorder ma voulente 23452
     Si vous plaise de | accorder 23650.
Noch in 16009, 18488.

je: a) elidiert in P. = 11
O. = 13
T. = 89.

P.: Or je ay accomply le voyage 33253
     Quel nouvelle pourroy je ouir 31671
     Or la vouldray je enluminer 29009
     Au moins en aroy je un morceau 25646.
O.: Car je y vueil aller de present 1127
     Je y vois envoyer prestement 1441
     Ainsi comme je y suis tenu 4557
     Se je y vois que presumez vous 1594.

5*

T.: Je iray voulentiers mon amy 126
Se je y puis une fois venir 1215
Mais je y ay mon cueur si fichie 2456
Je yray moi aussi mes gens tous 3613 — 8 Silbler.

b) nicht elidiert: P. = —
O. = 6
T. = 4.

O.: Je | advise à leur façons 16292
Je | en ay en moy tel douleur 13960
Je ordonne duc d'Alanson 15076.

T.: Pour ce maintenant je | ottroy 3800
Je | yray filz en sont contens 11672
Car ainsi comme je | entens 19555.

Dabei ist zu bemerken, daß in den meisten Fällen noch keine Personalpronomina gesetzt werden.

Diese angeführten Beispiele zeigen deutlich, wie sehr die Texte noch afrz. beeinflußt sind, daß die Sprache auch hierin noch nicht den neufranz. Standpunkt erreicht hat. P. gibt uns von den 3 Texten den weit entwickelsten Stand an.

II. Konsonantismus.

A. Die oralen Konsonanten.

1. Verschlußlaute und Spiranten.

a) Labiale.

b, p.

§ 41. Im Anlaut: *ph* für *f*:
P.: *phas* 30578.

§ 42. Inlaut.

1. *b* stumm, etymol. Schreibung:
P.: *toute : doubte* 3560, *dessoubz : vous* 10902.
O.: *doubte : escoute* 3561.

2. *bl* i. R m. *pl*:
O.: *ample : tramble* 15779, *samble : ample* 5520, *samble :
ample : tremble : oriflamble* 16781.

3. *mp* i. R. m. *nd, nt:*

O.: *estampes* : *excellantes* 16855, : *landes* 17127 (unreine Reime).

4. *b* afrz. = stumm, neufrz. gesprochen:

O.: *nonnonstant* 18962: *nonnonstant* = *nonobstant* = *nonostant* : 18429, 19430, *ovier* 18923, 18189, *branle : semble* 1822 (Assimilation an stimmhafte Umgebung vorliegend oder Aussprache picard. beeinflußt).

T.: *ostination* 22932, *ostinez* 17224, *soultilz* 3817, afrz. trat bei Lab. + kons. außer vor *r* und *l* vollständige Assimilation des vorhergehenden Labials ein, dieser Labial neufrz. wieder hergestellt unter gelehrtem Einfluß.

5. *ll* für *l*:

P.: *finablement* 15587, 17046, 27553, 27509, *finable* : *miserable* 23176, *universablement* 4296 (A, Text *universallement*), Anpassung an die Adjektive auf *abilis*.

T.: *finablement* 20117, 22161, 24101, 25623.

§ 43. Im Auslaut.

P.: *Jacob : trop* 1722. Kons. = hier stumm, cf. Nyrop § 315.

f, v.

§ 44. Inlaut.

1. Intervokal: a) *fu* für *v*:

P.: *griefve* : *eslieve* 20786, *briefve* 228, 13446.

T.: *entendifuement* 9147, *triefues* 11316, *vefue* 20372, *achiefuement* 22725, cf. Thurot p. 365 zitiert Meigret: „Tenez pour regle generalle que *b* et *f* ne se rencontrent jamès en la prononciation française avant *v* consonante.“ Aussprache daher einfaches *v, f* nur orthograph. infolge der mascul. Form *brief* hineingebracht.

b) *f* für *ph*:

T.: *metafore* 882, cf. Nyrop I § 367: *ph* 〉 *f*.

2. Vor Konson.: *vr* i. R. zu *r*:

P.: *ensuyra* 1116.

O.: *recouvre* : *demeure* 11758.

§ 45. Auslaut.

f = stumm, neufrz. gesprochen:

P.: *serfs* : *enfers* 12203, *Juifz* : *famis* 7377, : *pays* 5784,
: *promis* 5302, : *ouys* 21444, : *mis* 21420, 29363, 30797,
31329, 26736, *escripz* : *estrifz* 23314, *fautifz* : *submis* 1632,
pensis : *rassis* 30980, *partis* : *craintifs* 33812.

O.: *pensis* 20170, *traytis* : *soummis* 20273, *chetis* 12054.

T.: *assis* : *pensifz* 190, *nefz* : *grecz* 1475, : *armez* 2492,
ditz : *perilz* : *vifz* 3639, cf. Nyrop I § 450, 1; § 314: am
Ende eines Wortes vor *s* verstummen Labial und palat.

b) Dentale.

α) Verschlußlaute.

d, t.

§ 46. Inlaut.

1. *d* für *t*:

P.: *meurdrir* 1275, 1362, *meurdris* 1429, cf. Krauß
§ 74: *t* nach *n, l, r* 〉 *d*; *souhaidier* : *aidier* 29202, 31700
wohl Anlehnung an *aidier*, *garandiront* 32412.

2. *t* für *d*:

P.: *ambassateur* 1717, wohl Anlehnung an Wörter wie
orateur.

3. *d* i. R. m. *t*:

O.: *entendent* : *boulantes* 2321, *sourdre* : *vostre* 5785,
courtes : *bourdes* 6428, *ouvertes* : *penades* 10954 (wohl nur
ungenaue Reime).

4. *tt* für *ct*:

P.: *ottroyée* 32094, *ottroye* T. 10922 (neufrz. *octroye*
ist fremdwörtlich).

5. a) *tr* und *dr* i. R. m. *br* und *mbl*:

O.: *chambre* : *attendre* 1746, *encontre* : *encombre* 5058,
respondre : *nombre* 6105, 10946, *fondre* : *nombre* 10949,
Alexandre : *dessemble* 15324, cf. Chatelain p. 43: Der Nasal-
vokal hatte eine so kräftige Resonanz durch das folgende

m oder *n*, so daß es einerlei war, ob der dem *m* oder *n* folgende Konsonant ein *b, p, f, c, g, d, t* war, vorausgesetzt, daß der 2. Kons. ein Liquide war.

b) Statt *ndr* ein *nr*:

P.: *advienra* 804, *prenrons* 4401, *venrez* 19259.

O.: *parvenrons* 191.

T.: *venront* 26210, *tenrons* 4893, 27605, *tenres* 25308 (derselbe Zug wie im picardischen).

c) *ldr* ⟩ *r*:

P.: *vouroient* 17109.

d) *-ndre* i. R. m. *-nce*:

O.: *cendres* : *nuyssance* 6894 (unreiner Reim).

e) *-cre* i. R. m. *-tres*:

P.: *obsecres* : *Chartres* 6508.

§ 47. Im Auslaut.

1. *t* i. R. m. *d*, Aussprache gleich:

P.: *fort* : *accord* 364, *sort* : *accord* 25671, *accord* : *mort* 20806, *remord* : *mort* 21504, *part* : *regard* 25256, *fit* : *David* 31073; *t* für *d*: *remort* 832, *tort* 16820, *remort* 25369, *: mort* 26209, *tort* : *port* 25255.

T.: *reconfort* : *accord* 1334, *accord* : *tort* 25341, 25478.

2. *t* für *c*:

O.: *dont* 3583, 13253, 13852, *estot* 20233.

3. *t*, neufrz.:

cent : *ent* 729. Alle Bindungen möglich wegen der gleichen Aussprache des Ausgangs.

β) Die Spiranten.

s, ss.

§ 48. Im Anlaut.

P.: Statt des neufrz. *ch* die ursprüngliche Form: *serchié* 15684, *sercher* 14718, 20416, 21745, *sercheray* 4490, 24119.

Go gle

O.: *sercher* 8478, 8488, 8554. *s* für *c* lautgesetzl.: *cercher* ⟨ *circare, ch* beruht auf regressiver Assimilation, daher *chercher* cf. Nyrop I § 403.

§ 49. Im Inlaut.

1. *s* war vielleicht auch in solchen Worten stumm, in denen es neufrz. gesprochen wird, vielleicht sind es auch nur ungenaue Reime: *sillogisme* : *imprime* 5332, *chapitre* : *menistre* 7988, *manifestes* : *prophetes* 31281, *mettre* : *senestre* 24886. Wie ferner *s* nicht gesprochen ist in: *mettre* : *estre* 23714, *est* : *gibet* 21180, : *Olivet* 18502, *maistres* : *lettres* 9763, *lettres* : *prebstres* 6320, *blasphemes* : *mesmes* 23096

O.: *trompetes* : *faictes* : *estes* 531, *trompete* : *preste* 15650, *crisme* : *exprime* 20684.

T.: *enqueste* : *coquette* 23804, *maistre* : *mettre* 29026, so wird *s* wahrscheinlich auch nicht gesprochen in:

P.: *s'appreste* : *reste* 6596, *teste* : *manifeste* 15126, *restes* : *prestes* 11005, *reste* : *appreste* 11351, *manifeste* : *feste* 15214, 16117, 17494, 22374, *arbalestre* : *estre* 15736, *feste* : *moleste* 15987, *ceste* : *magnifeste* 26104.

O.: *restre* : *senestre* : *fenestre* : *estre* 3085, *destre* : *senestre* : *champestre* 20130, *honneste* : *magnifeste* : *requeste* : *enqueste* 19332.

T.: *dextre* : *estre* 1371, 4120, *feste* : *teste* 2365, *conqueste* : *feste* : *reste* : *s'appreste* 2552, *dextre* : *maistre* (Prol.) 235, 2508, *maistre* : *senestre* : *prestre* 25634, *estre* : *terrestre* 32842, 34329.

2. *s* i. R. m. *ch*:

P.: *sache* : *embrasse* 9875, *porche* : *force* 15114, 17355, *place* : *sache* 18337, 27206, 28954, 32292, *sache* : *entrasse* 19458, *delivrance* : *franche* 22540, *force* : *escorche* 23894, *cuirasses* : *haches* 27378, *esperance* : *franche* 28073, *trassent* : *sachent* 29957, *sachent* : *menassent* 32219.

O.: *deffence* : *dimenche* 14254, *sache* : *trasse* 16975, *sachent* : *passent* 19642.

T.: *hardiesse* : *laisse* : *appresche* : *presse* 1050, *place* : *sache* : *menace* : *entrasse* 14386, cf. Chatelain p. 68: L'assimilation de *c* : *ch* war im 15. s. nicht allein im picard., sondern hatte sich von dort aus auch über andere Teile Frankreichs ausgebreitet.

3. *ss* und *c* sind nur graphisch voneinander verschieden, daher *ss* für *c*, und *ss* i. R. m. *c*:

P.: *oultrepasse* 29553, *lasse : grace* 8158, *saulcisse : office* 4313.

O.: *malefice : voulsisse* 29330, *place : chasse* 8899, *passe : espasse* 2822, *grimasse : trasse* 8902.

T.: *menace : fasse* 8517. Die Aussprache war wohl gleich. Vergleiche jedoch Thurot II p. 675: Demgemäß müßte nach dem Zeugnisse verschiedener Grammatiker ein Unterschied zwischen der Vokalquantität geherrscht haben; H. Estienne a remarqué que l'a était plutôt long dans les mots en „asse“ et plutôt bref dans les mots en „ace“. Der Unterschied war jedenfalls sehr gering, denn sonst hätte wohl nicht ein so häufiger Wechsel stattgefunden.

4. *s* für *r*:

O.: *spacieuse : oultrageuse : aleuse : plantureuse* 3669, *seure : doubteuse : aleuze : creuse* 12493, *malleuseuse* 16867, 20156. Es existierte der Wechsel, intervokales *s = r* und *r = s* zu sprechen, cf. Thurot II p. 271 ff., zit. Bèze: Les Parisiens et encore plus ceux de l'Auxerrois et mes compatriotes des Vezelais changent *r* en *s*, disant: Masie, pese, mese, Theodose, pour Marie, pere, mere, Theodore. Nyrop I § 360 vergleicht diesen Vorgang mit der gleichen Erscheinung in dem heutigen Christiania, die auch dort hauptsächlich, wie damals in Frankreich, bei den Frauen zu finden sei.

Anm.: O.: *s* für *ss*: *resemble* 17580, *ss* für *s* in *plussieurs* für *plusieurs*; *s* fehlt *patorelle* für *pastorelle* 13245, neufz. wieder etymol. eingeführt.

§ 50. Auslaut.

1. *s* in 1. pers. plur. fehlt:

P.: *allion : compaignon* 31239, *allon : fellon* 7704, *voyon : demonstration* 5310, *Lazaron : iron* 17827, *enquerron : larron* 20716.

O.: *bon : seron* 18065, *oppinion : verron* 17456, *Alanson : aillon* 17840.

T.: *voyon* : *menon* 6834, cf. Meyer-L.: Hist. fz. Gram. I § 293.

2. Bindung von *s*, die vom Standpunkt des heutigen Fz. nicht möglich, ob *s* gesprochen oder stumm ist, ist nicht zu entscheiden:

P.: *devis* : *filz* 33110, *filz* : *fis* 33790, 34316, 11041, 16487 27172, : *pis* 11908, : *assis* 25750, : *dis* 25802.

O.: *fleur de liz* : *amys* 1870, : *petiz* 60, : *enemys* 17757, *suis* : *entrepris* : *pays* : *liz* 337.

T.: *filz* : *mis* 1290, : *suys* 1363.

C. Palatale.

g.

§ 51. Inlaut

1. *g* für *c*:

T.: *segret* 14654 cf. Thurot p. 204 zit. Palsgrave: nous ecrivons secret par *c* : *e* toutefois nous le prononçons par „*g*“. D'Aisy: il faut écrire ... „segret“, hingegen Bérain 1675: quelques-uns prononcent „segret“, mais la prononciation la plus ordinaire et la plus recue parmi les honnêtes gens, c'est d'écrire et de prononcer „secret“.

2. *g* für *ge* neufz. Schreibung:

P.: *mengant* 782.
T.: *songoye* 6337, *charga* 3671.

3. *gu* für *g*:

P.: *égual* 2658.
O.: *guangne* 17967 (*gu* = lautges. ⟨ germ. w.⟩, interroguerait 8195.

§ 52. Auslaut.

g nicht geschrieben, wo heutige Orthographie es wiederherstellt:

O.: *faubours* 3904, *rans* 5607, *vint* (⟨ *viginti*) 1533 = lautgesetzl., neufrz. etymolog. Schreibung.

c. ch.

§ 53. Anlautend *c, ch.*

O.: *c* für *ch*: *cirurgiens* ⟨ *chirurgianus* 13140 cf. B. Meyer: Diss. p. 7 = halbgelehrtes Wort; *crestiens* 6874 = lat. Schreibung.

T.: *cerchie* 4007 (cf. § 48).

§ 54. Inlautend.

1. *h* für *c*:

T.: *escharboucle* 2981, 8169. Wechsel zwischen *c* und *ch* häufig im Französ., sowohl am Anfang als auch in der Mitte des Wortes, cf. Thurot p. 210.

2. *sch* für *ch*:

P.: *empesché* 2005, *pescheur* 2923, *meschance* 2643, *lascheté* 29349.

T.: *aschever* 25644, *fleschir* 25483, *rafreschiront* 14184 (nur graph. Verschiedenheit).

3. *cque* für *que*:

P.: *autentique : picque* 22950, *doncques : quelconques* 32294, *picque : publique* 13455.

4. *c* für *g*:

O.: *vaccabons* 7738. Vergleiche auch Nyrop § 434, 2: Neben *vagabon* existierte lange Zeit *vaccabon*.

5. *qu* für *g*:

O.: *equalité* 2746.

T.: *equalité* 5609, *equalement* 27727 (etymolog. Schreibung oder fremdwörtl. Gestaltung).

6. *qu* für *c*:

O.: *deliquat* 926, *requeil* 10902.

T.: *esquaille* 5954, *sequeurement* 21867.

§ 55. Auslaut.

1. *c* fehlt vor *s*:

O.: *bez* 4062.

T.: *entendez : grecz* 1088 (afz. = lautges. Schwund,

neufz. wieder Einführung des Kons. in Anlehnung an das lat. Etymon.

2. *c* für sonstiges *que*:

T.: *chac* 15564.

3. *c* für *g*:

O.: *lonc* 10479, *sanc* 10659, *bourc* 9149.

T.: *ranc* 15926. Neufz. *c* ⟩ *g* in etymolog. Schreibung; Nyrop I § 436: Noch heute: un long hiver [*g* = *k*].

2. Die Liquiden.

r.

§ 56. Inlaut.

1. Für Stummheit von *r*-Laut vor cons. scheinen folgende Reime zu sprechen:

P.: *comble : ombre* 2628, *grande : esclandre* 20710, *œuvre : treuve* 10053, *esclandre : demande* 13109.

O.: *arme : diffame* 3597, *charge : messaige* 6537, *nous : tousjours* 6660, *somme : fourme* 7050, *estat : soudart* 7731, *Ecosse : force* 8335, *blot : fort* 8802, *complot : accort* 9246.

T.: *charge : dommage* 9112, *sage : ouvraige : charge : large* 26006, cf. Nyrop § 362 Anm.; Goerlich: fz. Stud. VII p. 105, 152: burg. ist *r* vor Kons. gefallen. Auch in unseren zwei Dialekten ist *r* vor Kons. wohl schwach artikuliert, cf. § 57, 1. Auch verweise ich auf Reime wie

2. a) *s* i. R. m. *r.*

O.: *chose : enclorre* 4886.

b) *r* für *s*:

P.: *varlès* 14149, 18567, 21079, *deramparoir* 10046, 13185.

3. *r* für *l*:

P.: *merancolieux* 10604, 14054, 25597, 27282.

O.: *merancolieux* 300, 2892, 3068.

T.: *merancolieux* 12221, 12320, 12428, 13394, 13806, 24768 (Dissimilation).

4. *r* eingetreten:

P.: *estre : celestre* 203, 30454 in Angleichung an *terrestre*.

O.: *tristres* 12375, 17064 (Assimilation).

5) *nr* für *rr*:

P.: *inreparable* 20403, ebenso umgekehrt *rn* für *nn*: *sornette* 19852 (in beiden Fällen ein dissimilator. Vorgang).

6. *r* stumm, in Folgesilbe steht ein *r* (Diss.):

P.: *abre* 30892 (B, C; Text = *arbrier*), *heberger* 31252.

T.: *mabre* 2947, 10510, *hebergier* 14267, 21523, 21542, 23349, Nyrop I § 362: *r* häufig unterdrückt, wenn in der Folgesilbe ein *r* steht: Vaugelas: la plus saine opinion et le meilleur usage est non seulement de prononcer, mais aussi d'écrire mécredy sans *r*, et non pas mercredy.

7. *r*·Methathese:

P.: *cocodrille* 26384 (bis 17. s. gebraucht).

O.: *intredit* 1037, *prouvoir* 3577, *propenser* 7131, *berbiz* 12725.

T.: *espreuier* 6442, *garce* 11396.

§ 57. Auslaut.

1. *r* vor *s* ist stumm, es steht *s* für *r*:

P.: *maleureux* : *asseurs* 3908, *soudas* : *Judas* 22074, *laboureux* : *oiseulx* 16852.

O.: *nous* : *tousjours* 6660, *mieulx* : *plusieurs* 7714, *paix* : *pervers* 1288, *poux* 7138, *provois* 9031, *vois* 7118. Auf Verstummen des *r* beruhend, cf. § 56, 1.

2. a) *r* in einsilbigen Komplexen:

P.: *cler* : *parler* 20440, *cher* : *manger* 12869, *occuper* : *per* 22326.

O.: *reposer* : *mer* 627, *employer* : *cler* 2819.

·T.: *mer* : *former* 586, *estancher* : *cher* 16402, *cler* : *depescher* 1604, *mer* : *retourner* 26439, cf. Meyer-L. I § 559, p. 474: *r* fällt in mehrsilbigen Wörtern, bleibt in einsilbigen Komplexen; in diesen Fällen wird das *r* der Infinitive noch gesprochen (cf. § 3, I 1 b).

b) *r* in Infinitiven stumm:

O. *garder* : *assaillez* 4922, *resister* : *coustez* 5773, *gouverner* : *ordonnerez* 4150, *ayez* : *delayer* 2974, *offrez* : *par-*

lementer 5873, *advertiz : venir* 1825, *assailliz : secourir* 5218 usw.

l.

§ 58. Inlaut.

1. *ll* für *bl*:

P.: *affulent* 16718 (Assimilation).

2. *fl* für sonstiges *f* :

T.: *floiblesse* 22253.

O.: *flebles* 625 (Assimilation, begünstigt durch das lat. Etymon).

3. *l* stumm, nur Schreibung:

P.: *ame : royalme* 10003, *royalme : infame* 10768, 11025, *: dame* 12107, 32239.

§ 59. Auslaut.

l = stumm, neufz. gesprochen:

P.: *nulz : Jhesus* 9316, *pastes : telz* 12187, 7656, *volentés : naturels* 3849, *peris : perilz* 11526, *petis : gentilz* 10773, *deulz : deux* 25545.

O.: *volenté : fidelité : hostel : entalanté* 255, *gentilz : vis* 3461, *amis : gentilz* 4382, *subtilz : mis* 17443.

T.: *perils : accomplis* 1429, *menestrelz : ouvriers* 2736, *amis : soubtilz* 6217, *seulz : douloureux* 8442, *ennemis : gentilz* 15693, *naturelz : nez* 22442, *portez : mortelz* 19822; im neufz. hat der Sing. über den Plur. den Sieg davongetragen, wodurch *l* wiedereingeführt ist.

Anm.: Auch eine Schreibung *i* für *il*, also *l* überhaupt nicht geschrieben: P.: *peris* (《 *periculum*) 14360, *bary* 11601; T.: *sourcis* 24768.

l.

§ 60. Auslautend *l*.

1. *l* i. R. m. *l*:

O.: *Tourelles : merveilles* 1934, *Vignoilles : paroles* 6108, *folle : despoille* 8979, *merveille : cervelle* 16418, *: elle* 15274, *quenoille : escolle* 16279, *preembolle : absoille : engoulle* 11053.

T.: *esmerveille : pareille : belle* 2168, *chapelle : merveille* 2132, *metal : cristal : esmail : destail* 13688, *especial : principal : travail : mal* 17988. Weitere Beispiele cf. § 3, 4 b.

2. *l* für *ł*:

P.: *feulles* 16646, *cueully* 27320, *deul* 20728, *deulz* 15449, 16322, *vielz* 21543, *broulle* 22356.

O.: *deul : eul* 12369 (*deul* = Postverbal. subst. z. d. stammbet. Formen von *dolere*), *seul : eul* 13565, 12369, *deul* 3327, 12367, 13718, 13771, *viel* 2366, *assalant* 16686. Schon in den Urkunden von Maine usw. finden sich Belege für mouilliertes *ł* > dentalem *l*, cf. Goerlich: fz. Stud. p. 60; *deul* in der heutigen Mundart der Bretagne. Über Reime wie:

O.: *bastille : fille : abille* 1708, *ville : fille* 11075, cf. Berta Meyer: Diss. p. 14. Meyer-L. I § 514: pikard. u. wallon. *ł* > *l* reduziert; Nyrop I § 352: Reime zwisch. *ł* u. *l* = unreine Reime.

3. Der Hauchlaut.

h.

§ 61. Anlautend und intervokales *h*.

1. *h* geschrieben, wo neufz. nicht:

P.: *Israhelites* 8339, *habondamment* 512, 19205, *habonde* 15787, *hermitte* 11986, *ha* (< *habet*) 4705, 4906, 5017, 6826, *trahitre* 19270, 20179, *perhennite* 29175, *perhennel* 23251.

O.: *habandonnez* 1613, *habandonner* 11030, 14541, 26703, *heu* (Part. < *avoir*) 4789, 8870, *heur* 5069 (< *augurium*).

T.: *habandance* 478, 5315, 10981, 25648, *herra* 718, *hoster* 1143, *preheminence* 21801.

2. *h* weggelassen, wo neufz. geschrieben:

P.: *abit* 22408, 25895, *orreur* 445, 1201, 14486, *umain* 3270, *orrible* 1574, 26428, *uile* 1530, *eure* 1421, *omme* 795, 592, 69, *benneuré* 261, *istoire* 153, 7568, *trayson* 31069, *armonieux* 33236, *armonie* 32821, *trayson* 31069, *yver* 26789, *allaine* 14353, *maleureux* 25066, *envair* 23575, *abillez* 20859, *ydropique* 13141, *onneur* 1297, 1622, 9591, *eritage* 3184, *uis* 4576, *umble* 4016, *ypocrisie* 16359, *ypocrites* 13386, 17255.

O.: *eure* 134, *onneur* 855, *umble* 43, *maleur* 1587, *ostel* 6620, *umblesse* 20458, *onnestete* 19210, *arnois* 19117, *abillement* 2267, *uylles* 2492, *azard* 2709, *abillez* 4540, *aleine* 5254, *abit* 7045, *omme* 7086, *esbair* 7049, *erbete* 7104, *yer* 14152.

T.: *onneur* 287, *armonie* 22, *istoyre* 274 (Prol.), *erbe* 299 (Prol.), *umilite* 3001, *ostel* 99, *onneur* 298, 9755, *onore* 925, *umble* 325, 4079, 21482, *traison* 4238, *aubert* 1206, *eureuse* 1819, 21551, 25229, 26678, *esbaissez* 1853, *ercules* 3675, *elene* 5556 (cf. Nyrop I § 479).

B. Die nasalen Konsonanten.

n, m.

§ 62. Auslautend und inlautend *n, m.*

1. a) *m : n:*

P.: *presente : exempte* 32249, *Pampelune : plume* 25022.

O.: *omme : consonne* 4118, 8103, 10905, *respondre : nombre* 6105, *Chambannes : termes* 10905, *cavernes : juzarmes* 19837.

T.: *croyons : homs* 3487.

b) *m* für *n:*

P.: *nompareille* 13544, *comferme* 3427, *emcombrier* 5857.

T.: *comturber* 6168.

2. a) *nm* für *mm:*

P.: *habondanment* 512.

O.: *enmener* 20340.

T.: *diligenment* 828, Zeichen für nasale Aussprache.

b) *nm* für *nn:*

P.: *solempnel* 477, 3866, 21597, *solemnite* 6293 (A; BC = *solennite*), *solenmellement.*

3. *n, m* fehlt.

P.: *cojointement* 213.

T.: *goffanon* 2116, *tabours* 21767 (Spuren von Denasalierung).

4. *nr* für *rr:*

O.: *inreparable* 20403, 20486 (Latein. Rekomposit.).

ñ.

§ 63. Inlautend und auslautend ñ.

1. ñ i. R. m. n:

P.: *indigne* : *femenyne* 857, *digne* : *domine* 6227, : *adevine* 5486, : *couvine* 24012, : *divine* 14522, : *myne* 22408, : *discipline* 19058, : *encline* 5086, : *narine* 28422, : *doctrine* 10079, : *cuisine* 11172, *eschigne* : *busine* 23954, *assignes* : *fines* 22836, : *divine* 20602, *discipline* : *signe* 19058, *maligne* : *ruyne* 26206, *deffine* : *maligne* 31625, *medecine* : *benigne* 11740, *espines* : *maligne* 12679; *opportune* : *repugne* 290, *repugne* : *june* 12817, : *commune* 4083, : *fortune* 25962.

O.: *divine* : *indigne* 17687, *signes* : *ruynes* 15911, *signe* : *divine* 18643, *ordonne* : *besoigne* 17020, *personne* : *groigne* 4042, *nonne* : *somme* : *besoigne* 7825, *retourne* : *Babilonne* : *Bouloigne* : *vergoigne* 16362.

T.: *villaine* : *regne* : *paine* 707, *racine* : *digne* 25401, *ruine* : *digne* 26854, *signe* : *myne* 24853, cf. Nyrop I § 335: neufz. mouillierte Aussprache, die aber nur eine orthographische Reaktion ist, denn afz. und mfz., wie hier in unseren Texten, sprach man früher *n*. Dieser Wechsel von *n* und *ñ* findet sich auch in den Urkunden von Maine usw., cf. Goerlich, fz. Studien p. 61.

2. Histor. nicht berechtigtes *gn*:

P.: *ignoscente* 765, 1896, 2625, *congnois* 1088, *pugnis* 396, *ignoscence* 2300, *pugnicion* 9545, 14559, 30775, *pugny* 14533, 27152, *pugniroit* 10761, 12846, 5270, *begnin* 11851, 14973, 21765, 27477.

O.: *devigne* 1471, 1398, 1279, *pugnir* 1521, *ungniz* 14581, *digner* 7801, 7788.

T.: *ignoscente* 27375, *pugnir* 26437, *pugny* 8475, 12943, 16889. Man schrieb oft *gn* für *n*, da ja auch *gn* in Wörtern wie *digne* (s. oben unter 1) wie *n* ausgesprochen wurde. Auch wird in östlichen Dialekten intervokales *n* ⟩ *ñ* (cf. Neumann p. 49, pik., ostfz.; Goerlich, Fz. Stud. VII p. 107, 146; lothring. Psalter § 95: *n* ⟩ *ñ*).

6

3. *ngn* für *gn* wohl orthogr. besondere Schreibung:

P.: *besongne* : *grongne* 7321, : *ressongne* 4407, *charongne* : *besongne* 13405.

O.: *songneusement* 5042, 7541.

T.: *besongnes* 2212, 8790, 26893. *ngn* = Schreibung für *ñ*.

4. *ng* wohl graphische Andeutung der Nasalierung:

P.: *besoing* : *loing* 9391, 8894, 11560, 14194, *loing* : *groing* 22406, *tesmoingz* : *poins* 21426, *meshaing* : *dedaing* 1236.

O.: *ung* : *commung* 18020, *point* : *coings* : *Bisgnains* 4545, *importun* : *ung* 2356.

T.: *besoing* : *loing* 24592, 26728, *soing* 6398, *ung* 25411 (Nas. Schreibung).

II. Teil: Formenlehre.

Kapitel I: Deklination.

I. Die Nomina.

A. Das Substantivum.

§ 64. Reste alter Flexion:

P.: *hons* 7211, 14282, 14285 usw., *il n'est homs* 6165, *quelconques jour* 586, *vielz serpent* 22106.

O.: *ung hons* 2, 20099, *des vaillans hons* 13656, *tous le moyen* 133, *des fleur de liz* 1868, *grand miracles* 6410, *un tres grant biens* 9383, *unes lettres* 9872, *unes halles* 10651, *deux herault* 11712, *en grans gemissement* 11022, *vos voloir* 13979, *deux mille combattant* 16009, *trois assault* 17174, *sans avoir peurs ne doubte* 17907, *un tel faiz* 748.

T.: *ung si vaillunt homs* 10383, 10389, 10401, 18573, 18788, *hons* 11972, 14518, *trois fleur* 130, 54, *voz douleur*

1854, *beaulx seigneur* 5684, 10409, *le plus parfaict homs* 3487, *beau seigneurs* 3872, *des divers metail* 24994.

Hieraus ergibt sich, daß das flexivische *s* gar keine Bedeutung mehr hat, die Beispiele geben ein Bild einer im vollen Gange begriffenen Veränderung; cf. Brunot I p. 414: Chez Charles d'Orleans l's du nominatif n'est plus qu'une commodité poétique, qui intervient de temps en temps en faveur de la rime et de la mesure.

§ 65. Alte Plurale.

1. *eil — aux*:

P.: *hasteraulx* : *consaulx* ($<$ *il$_l$*) 30325, 30737, *bestiaulx* : *consaulx* 22954, *consaulx* 20067, *juvenceaux* 16299, *vos conseils* 5971 (Text, A *consaulx*); cf. Nyrop II p. 208 § 290, 2, § 315: Der Plural nur bewahrt in *vieil — vieux*, sonst hat er sich dem sg. angepaßt in den Wörtern auf -*el* $<$ lat. *alem*, -*eil*, -*eul*, -*euil*. (Häufig finden sich noch Formen auf *el* $<$ *alem*, für die im neufz. meist die nach dem Plur. gebildete Form eingetreten ist, z. B. T.: *annel* 3082, *tombel* 10510, *tropel* 16540, cf. Nyrop II § 290, 3; § 310).

P.: *deulz* 15450 ist die lautgesetzl. Form. Seit 16. s. Neubildung auf *euils* analog sg. (Nyrop II § 319); auch *traveulz* 27021 (A = *travaulx*) umgekehrt in Anlehnung an *eil — eux*.

B. Adjektivum.

§ 66. Reste der alten Flexion:

P.: *mes vielz jours* 3525, *vielz hommes* 28662, *un vielz chien* 21543 (über *vielz* cf. B. Meyer: Diss. p. 104/105), *un vielz gibet* 22612, *ce vielz matin* 23985, *un vielz frivoleur* 22992.

O.: *ce samedy gay et jolis* 15775, *tres haut puissant princes de non* 12863, *ce songe estoit vrays* 2903.

T.: *vos bon commandements* 2903, *beau seigneurs* 3872, 5684, 10409.

§ 67. Alte Plurale.

1. *el* $<$ *alem — eulx, ieulx*:

P.: *tieux* 15489, 21235, 27099, *iteulx* 32624, *matineulx*

6*

21314, *cieux* : *mortieulz* 21230, *morteulx* 7318, *eulx* : *crueulx* 27272 (schon früh an *el* ⟨ *alem* angeglichen).

O.: *quieulx gens* 7533, *de tieux suffrages* 7746, *quieux nouvelles* 16878.

T.: *lesquieulx* 1089, *mieux* : *tieulx* 18758, *desqueulx* 27041. cf. Nyrop II p. 222/223.

2. *el — eux*:

T.: *beux seigneurs* 25536. Dialektische Form, denn *bel — beux* = westfrz. Form.

§ 68. Motion der Adjektiva.

1. Adjekt. lat. 2 endig.:

Alle Adjektive werden noch meist in der Form des masc. verwendet für d. fem., doch kommen schon Fälle von der fem. Form vor; alte eingeschlechtige Adjektive:

P.: *grant honte* 662, *grant crainte* 758, *grant royaulte* 2472, *laquel* 20123, *quel chose* 5418, 11713, *continuel guerre* 783, *tel fleur* 3344, *tel haultesse* 1657, *tel largesse* 1658, *tel malediction* 2054, *tel perfection* 3022, *telz causes* 20325, *tel sorte* 10706.

O.: *de la meilleur* 10793, 10766, *quieulx nouvelles* 16878, *tel nature* 18386, *en grant noblesse* 148, *la grant mer parfonde* 907, *un grant replique* 12453, *en grans peine* 13383, *grans faveurs* 19280.

T.: *une grant armee* 10079, *tel chose* 12026, *en Grece la majour* 16233, *une forme greigneur* 24876, *par commun adresse* 21832, *ma couronne royal* 26380. Folgende Zählung gibt an, wie oft die alte eingeschlechtige Form der beiden Adjektive *grant* und *tel* gegenüber der sich einbürgernden zweigeschlechtigen Form gebraucht ist.

a) *grant:* α) ohne *e*-fem. P. = 53, β) mit *e*-fem. P. = 32,
O. = 66,   O. = 27,
T. = 52,   T. = 18.

b) *tel* α) ohne *e*-fem. P. = 62, β) mit *e*-fem. P. = 25,
P. = 36,   O. = 17,
T. = 59.   T. = 23.

Über diesen Gebrauch cf. Nyrop II § 385, Brunot I p. 415.

2. Part. praes. adjektivisch gebraucht findet sich noch
ohne Femininbezeichnung:

P.: *La plus savant* 4086, *la tres precellant pucelle* 13261
O.: *le tres excelant fille* 17745.

3. lat. 3endige Adjektive, die also lautgesetzlich im fem.
ein *e* haben müßten:

a) vor Vokal, möglicherweise Elision:

P.: *a mal heure* 18807, 21625, *cest heure* 14693, *cest
estelle* 6472.

O.: *sans mal adresse* 17934.

b) vor Konsonant:

P.: *plus haut noblesse* 22155.

O.: *Tous edifices et eglises* 3716, *a tout vostre seigneurie*
15037, *toute la hault chevallerie* 20420.

T.: *cest chose* 203, 1365, 2305, *de mal heure* 10971.

Anm.: *affaire* wurde noch meist mask. gebraucht, selten fem.,
da afrz. das Geschl. von *affaire* mask. war, das erst neufrz. fem. wurde,
daher hier noch *fort affaire* P. 1366, 16624, *en tel affaire* 24079; ebenso
réplique wie der Fall ja durch beigefügten mask. Artikel zeigt.

§ 69. Im neufrz. veraltete Adjektiva.

P.: *La griefve estature* 115, 145, 192, 296, *grief* 792,
1328, 3126, 20329, 27125, *ysnel* 285, 5803, 19361, 21111,
laye (= *laique*) 27848, *voire* 8144, 8666, 17422, 30486, *voir*
1170, 5958, 13741, *fidz* 14405, *speritable* 29603 (B; Text
pardurable), *mainsné* 1094, *la male transgression* 60, *le mal
ange* 2663, *male fortune* 17525, *male condicion* 17063, *la
chose tres malle* 13733 (*mal* als adj. neufrz. nur noch fa-
miliär gebraucht).

O.: *infacille* 9931 (ersetzt durch *difficile*), *maise* 5679,
12782, 11942, *voir* 1991, 2247, 4093, 7242, 9202 usw., *malle
meschance* 3151, *mau repoux* 11941, *a malle fin* 17268, *malle
destinee* 20316, 20373, *souventes fois* 19048.

T.: *malle grace* 4174, *malle adventure* 12361, *malle mort*
17104, *malle fortune* 20616, *malle pensee* 26866, *grief travail*
20353, *incorrumpables* 8230, *voir* 3509, 25311 (noch bei
Lafontaine gebraucht, cf. Dict. Hatzf.-Darmst.); *encien* 7396

(von Personen gesagt), *je suis vielz* 1325. Es findet sich demnach eine Reihe von Adjektiven in unseren Texten, die im neufrz. gar nicht mehr oder doch selten gebraucht werden.

§ 70. Reste organischer Komparation:

P.: *mendre* nach *menor* 158, 3271, 18830, 22703, 25927, *greigneur* 4285, 4588, 22372.

O.: *grigneurs* 16988, *greigneurs* 4, 4169, 8842, 11321, 16636, *mendre* 18930.

T.: *greigneur* 13957, 15418, 16322, 19565, 21152, 21868, 24876, *mendre* 5770, *mains* 6133. Sonst steht die Komparation auf derselben Stufe wie im neufrz.

C. Adverbia.

§ 71. Adjektiv als Adverb gebraucht:

P.: *Tres bon à faire* 17555, *se bon vous voyez* 6794.

§ 72. Adverbium mit bald eingeschlechtigem bald zweigeschlechtigem ersten Bestand:

P.: *briefment* 2986, 21795, 23389, 23745, 28556, 32644, 32976, 33766, dazu *briefuement* 13542, 17511, 31345, 11614, 13426.

O.: *briefment* 178, *briefuement* 1119, 1618, 5865, *griefment* 5726, 13916, *griefuement* 10069, 14323, *principalment* 5942, *principalement* 6993 (wie noch viele der von Adjektiven auf *al* 〈 *alem* abgeleiteten Adverbien).

T.: *briefment* 6678, 7166, 11757, 20613, *briefuement* 8251, 12309, 14914, 25306. Es sind also außer den Adjektiven auf *-al* vorzüglich *briefment* und *griefment*.

§ 73. Weitere bemerkenswerte Erscheinungen aus dem Kapitel von den Adverbien sind:

1. *malement* 10740, 27261 (es bestanden noch 2 Adverbien nebeneinander, 1. *malement* 2. *mal*), *sommierement* 11807, *forment* 4259, 4619, 11997, 12452, 18765, 20729, 21314, 27243, 31503, 32657, *grammment* 4495, 7543, 19623,

26801, 34099, *maisement* 27075, 30777, *pirement* 10737, *prudommement* 11113 (B = *prudentement*), *feablement* 27567, *finablement* 27509, 27553, 27606, *ysuellement* 12913, *ensement* 12647, 14433, 24085, 30776, *voirement* 8232, 8275, 21824, die auf *-alem* endigenden Adjektiva bilden die Adverbien auf 2 verschiedene Arten, entweder mit *aul-* (dialektisch) oder mit *-alement*, letztere ist die uns geläufige neufrz. gebrauchte Form:

P.: *principaulment* 1448, 1548, 6537, *generaulment* 4318, *leaulment* 5566, *royaulment* 8780, *figuraulment* 246, dazu *generaulment* 4351, *desloyalement* 19272, einmal kommt auch *secrement* 28751 (A; *secretement* B, C) vor.

O.: *forment* 5051, 5383, *grammment* 6420, 16298, *finablement* 2845, 5668, *faintement* 2045, *voirement* 90, 2479, *follyement* 11390, *grievement* 10069 (für *gravement*); neufrz. ohne nachtoniges Hiatus-*e*: *vrayement* 293, 605, 4574, 5307, *hardiement* 491.

T.: *maisement* 9603, *soufment* 6540, 20743, *mallement* 1124, 5324, 9706, 12237, 20931, 23088, 23640, *forment* 8382, 9621, 12919, 14621, 17725, *finablement* 22161, 23893, 24101, *mauvaisement* 6605, 23627, *ensement* 17993, *voirement* 9253, 25377, 27083; neufrz. ohne nachtonig Hiatus-*e*: *priveement* 5575, 6332, 12937, *infortuneement* 20352, *deuement* 27549.

b) vom Part. praes. abgeleitete Modaladverbien:

Sie sind z. T. von der eingeschlechtigen Form, z. T. von der zweigeschlechtigen Form abgeleitet. Die eingeschlechtige Form ist die im neufrz. erhaltene auf *-amment*, *emment*. Hier mögen einige neufrz. nicht mehr existierende Formen erwähnt werden:

P.: *prudentement* 3368, 8628, 11445, 30365, *violentement* 26738, 27047.

O.: *meschantement* 6944.

T.: *violentement* 43, 3875.

2. Von den Adverbien der Zeit erwähne ich:

P.: *or* Kons. 1255, 1286, 3675, *or* Vok. 467, 538, 552; *ore* Kons. 5022, 24115, 25036, *ore* Vok. 13615, 20481, 24261.

pieca 721, 1233, 4517, 8366, *huy* 23027, 11939, 12008, 16446, *ja* 14808, 16626, 24167, 27258, *ains* 6085, 10744, 11795.

O.: *huy* 15730, 17591, 15721, 13175, *pieca* 898, 4937, 5357, 8269, 8501, 11580, *plus matin* 17599, *lons* (= *longtemps*) 7410, *entretant* 5171, 6068 (Wortvertauschung von *tant* und *temps* war leicht möglich, da Aussprache gleich war).

T.: *pieca* 15829, 20553, 21951, 24604, *huy* 15940, 20545, 23440, 25663, *ades* 9712, *brief vous orrez* 2161, 2647, *ja* 219, 1104, 3256, 8740, 24604.

3. Adverbien des Ortes:

P.: *cy* 4610, 4737, 4972, 7883, 18624, 18674, 20436, 23418, 30809, *ylà* 1573, 6369, 11622, 14828, 29280, *illa* 158 (A; B, C = *illec*), *illec* 6545, 14937, 15846, 25198, 16032, 18913, 27555, *vela* 17293, *sus* 26050.

O.: *cy* 1787, 1864, 2380, 4272, 12784, 13962, 15042, 15663, (cf. Nyrop II § 566, Anm.: Pariser Aussprache *icij*, Stadtdialekt = *cy*, er zitiert Vaugelas: „Tout Paris dit, par exemple, cet home -cy, ce temps -ci, cette annee-cy, mais la plus grant part de la Cour, cet homme icy, cette année icy et trouve l'autre insopportable, comme réciproquemment les Parisiens ne peuvent souffrir „icy au lien de „cy"); jus (anal. sus) 1884, 1327, 5341, *illecques* 2235, *yla* 5165, 14180, *sus* 587, 2229, 2383, 3583, 5075, 9052, *illec* 5487, 9673.

T.: *cy* 13141, 19399, 21353, 25279, 24088, 25343, 26892, *illec* 188, 230, 10111, *d'ont* 10218 (⟨*de unde* = noch nicht ⟩ einem Worte kontrahiert, Ursprung deutlich erkennbar), *yla* 25128, *recy* 257, *vela* 25604.

4. Adverbien des Grades:

P.: *moult* 1547, 3146, 4902, 5893, 13931, 14562, 15654, 20502, 18754, *com* 13609, 17842, 18246, 20859, 15668, 16288 (*comme* anal. anderen Adverbien auf *e*, wie *ore* usw.), *forse* 11573 (B, A *forsan*, C = *force*), 11430, 17578, 17501, *nennil* 4177, *nentmoins* 14357 (⟨ *nec intus* und *minus*).

O.: *forse* 8755, 5228, 16607, 13143, 15958.

T.: *forse* 3788, 16081, 20680, 20881, 23436, 24886, 26956.

§ 74. Adverbielles „s".

P.: *Encores* 1192, 2957, 3277, 4048, 8511, 27281, 32935, *avecques* 2985, 5211, 11443, 18447, 32277, *gueres* 2267, 5221, 8697, 19373, *riens* 228, *onques* 917, 1218, 3360, 6968, 7895, 8020, 8761, 11035, 11037, 16056, 16255, 27271, 33119, 30947, *mesmes* 12887, 13113, 23939, *doncques* 5973, 15549, 14263, 22736, 23694, 26653, 26882, 28551, 30947, *quiconques* 1199, 10050, 25807, 31431, *jusques a matines* 4846, 4849, 6513, 11263, 22977, 31054, *ores* 6620, 12533, *nagueres* 17292, 26701.

O.: *encores* 3178, 3941, 7227, *mesmes* 16718, 20320, *jusques* 826, 2478, *avecques* 2050, 2119, 5871, 5954, 7133, 9378, 8402, 14959, *queres* 6256, 6412, 7405, *oncques* 2159, 10107, 10490, *ores en avant* 9609, 20346, *illecques* 2235, *riens* 1280, 2230, 3055, 6150, 7126, *commes* 2321, *doncques* 61, 1024, 5935, 10045, 7407, 10735, 15160, 18356, 19373.

T.: *avecques* 4113, 5204, 9671, 20057, 25304, 26198, *encores* 1206, 2254, 3125, 3826, 7139, 9311, 10119, 19710, 23854, 27237, *gueres* 2221, *riens* 315, 1936, 2217, 4947, 6933, 9559, 12857, 18124, 20085, 23869, 26108, *oncques* 1445, 2107, 2122, 24'1, 4801, 10402, 13411, 19758, 20008. 20168, *presques* 24004, *doncques* 2901, 4531, 7302, 11377, 20548, 23083, 25441, 26112, 27250, cf. Meyer-L. II § 624, analog anderen Adverbien wie *fors, enz, mais* etc.

D. Das Zahlwort.

§ 75. Cardinalia.

Neufz. nicht mehr gebraucht: P. *ambdeux* 2610, cf. Nyrop II § 488.

§ 76. Ordinalia.

Nur wenige Ordinalia, die im heutigen Fz. nicht mehr gebraucht werden. cf. Nyrop II § 411 ff.

P.: *Nostre tiers jour* 503, 13102, 13309, 21427, *le tiers epistropus* 7879, *la tierce journee* 23742, 27637, 30979, *nostre quart jour* 515, *la quarte part* 3154, 13512, *nostre quint jour* 531, *crime : trezime* 19547.

T.: *le tiers dart* 9517, *au tiers lieu* 19447, *la tierce bataille* 8624, 1541, *la quarte bataille* 9939, 9987, *au quint point* 19449, *quartement* 21549.

II. Die Pronomina.

§ 77. Die Personalpronomina.

Sie werden noch häufig vor dem Verbum fortgelassen, das Zahlenverhältnis möge folgende Tabelle zeigen:

a) mit Pronomen: P. $= 232$

O. $= 287$

T. $= 104$

b) ohne Pronomen P. $= 187$

O. $= 171$

T. $= 62.$

Resultat: Viel häufiger kein Pronomen.

Zu den Pronomina ist anzumerken:

1. pers. sg.; rectus: a) *ge*, orthograph. Variante von *je*:

P.: 14874 *g'y veil*, in P. nur einmal vorkommend.

O.: 1578, 2438, 4335, 6844, 9928, 11227, 14606, 16606, 17750, 18847, 19734, im ganzen habe ich 11 Fälle in O. gezählt.

T.: 101, 497, 1630, 3089, 3434, 4865, 7277, 7569, 11273, 11673, 15846, 19881; es sind also 12 solcher Fälle in T. zu verzeichnen.

b) *je* für *moy*:

P.: 6693, 13156, 15710, 16567, 23625, 24166.

T.: 20003, 14285, 18359, 21438.

Obliquus: *moy* für *me*:

P.: 24638, 25055, 26580, 26803, 31315.

O.: 14910, 13925.

T.: 32, 353, 894, 1463, 2662, 3031, 10900, 23778, 24949, 25390, 26787, 27015.

2. pers. sg. obliquus: a) *toi* für *te*:

P.: 3303, 25179, 26270, 32115.

O.: 11936, 24672, 19138.

T.: 13196, 19256.

b) *ty* für *toy*:

P.: 29349, cf. Nyrop II § 526, 3.

3. pers. sg. rectus: a) *il* und *i* wechseln miteinander je nach ihrer Stellung (cf. Nyrop II § 529, 1).

b) *el* für *elle*:

P.: 132, 344, 2254, 3997, 4523, 6988, 7898, 30677.

O.: 12923, 14937, 16732; neben *el* ein *elle*, *el* ist die abgekürzte Form, seit 12. s. belegt. cf. Nyrop II § 531, besonders häufig im 15. und 16. s. Vergleiche auch Berta Meyer: Diss. p. 110: *el* in Analogie an *tel*, *telle*, wie sich zuerst zu *tel* anal. *elle* ein *telle* bildet, so umgekehrt zu *elle* ein *el*, *tel*.

c) *il* für *lui*:

P.: 16147 *c'est il*.

Obliquus: a) *li* für *luy*:

P.: 3276, 13485, 16636, 17619, 11443, 21312, 31036, 33442.

O.: 792, 1528.

T.: 2618, 13319, 4896. cf. Nyrop II § 528, 4. Brunot I p. 421/22 bringt Belege in anderen Texten z. B. c'est la vostre amour qu'il requiert Li-donnez (Mir. de N. Dame, III, 74, 74, v. 148).

b) *luy* für *le*:

P.: 22973.

c) *soy* für *se*:

P.: 20595.

O.: 4846, 6135, 6489, 8393, 10891, 13757, 16842, 17592.

T.: 6891, 17438, 15849, 20465, 24020, 24635, 26436.

3. pers. plur. rectus: a) *il*, nicht *ilz*:

P.: 3585.

O.: 4763, 13589.

T.: 3673, 7536, 9705. cf. Nyrop II § 529: *il* ist die lautgesetzliche Form, 14. s. durch *ils* ersetzt; Meyer-L.: Hist. fz. Gram. § 266. Brunot I p. 420: la transformation de *il* est en rapport avec la date de la disparition de la déclinaison.

b) *i* für *il* und *ilz*

sehr häufig, als Beispiel möge O. dienen, daselbst findet sich in 1000 Versen 12 mal *i* für *ils*, in derselben Anzahl Verse 20 mal *ilz*.

c) *ilz* für *eux*:

P.: *ce sont ilz* 26978.

d) *elz* für *elles*:

P.: 25479 etc. cf. Nyrop II § 529 Anm.

obliquus: a) *leur* für *les*.

T : 3480.

b) *eulx* für *se*:

O.: *eulx deffendre* 3718, 5712.

§ 78. Das Possessivpronomen.

Das Possesivpronomen fem. gen. i. antevokalischer Stellung lautet bereits häufig gleich m. d. mascul. Form. *mon* etc., doch sind noch viele Fälle alten Gebrauchs erhalten: *m'amour* 11202, 12101, 15374, 4270, 27059; *m'amye* 9375, 26842, 4019, *m'ame* 26222, 28356, 27153, *s'amour* 31690, *s'amye* 21857.

O.: *m'amour* 7279, *m'amye* 7192, 7313, 7244, 10517, 10560, 11102.

T.: *m'amour* 2020, 5545, 7584, 11452, 11533, 12622, 15877, 20479, *m'amye* 2478, 3325, 6618, 19604, 25963, 27295, *t'amour* 25890, 16492, *s'amye* 6437, 25432, 25337. cf. Meyer-L.: Hist. fz. Gram. I § 270; Nyrop II § 547. Der Gebrauch von *mon, ton, son* seit 12. s. im Nordosten und Osten (lothr. und wallon.), erst 14. s. im franzischen. Im 15. s. nur noch der alte Gebrauch in einzelnen Ausdrücken, die wir auch in unseren drei Texten gefunden haben; cf. Tobler, Versbau p. 58.

2. Die Formen *vo* und *no* für *nostre* und *vostre*:

P.: *en no demaine* 968, *no ducteur* 28724, *no ville* 4817, 2001, 1729, 1273, *de vo courtoisie* 21045, *de vo corps* 21093, *de vo costume* 28272, *toute vo gent* 13778, *pour vo salute* 226, 1407.

O.: *a vo commandement* 840. Diese Formen werden

besonders in der Pikardie gebraucht, auf Verallgemeinerung der Kurzform beruhend.

3. Das hochbetonte Possessivpronomen proklitisch gebraucht:

P.: *du gre mieu* 21844, *par la vostre salvacion* 19953.

T.: *par la scienne bonte* 308, *de la vostre belle cousine*
25396, *a la vostre bonne prudence* 25356.

§ 79. Demonstrativa und Determinativa.

Ich zitiere folgende Stellen: P.: *Cil qui* 2544, 11687,
11594, 11607, 13381, 15858, 18757, 21613, 23316, 30618,
34450; *iceluy jour* 639, 2976; *celuy roy* 5327, 5409, 5802,
5990, 6174, *celuy sermon* 11477, *iceluy saulveur* 10084, *iceluy
prophete* 26748; *celuy* für *celui-ci* 688, 5904, 14189, 16143,
cf. Nyrop II § 555, 3: *celuy* wurde als subst. und adj. bis
17. s. verwendet; *cil = celui-ci* 3619, 5370, *ce = cela* 8253,
8637, *cely* 5002, 29239, *icelly* 1320, 13916, *icelle* 5360, 26691
(cf. Nyrop II § 557: Im Mittelalter bis ins 15. und 16. s.
gebraucht), *celle terre* 471, *celle pomme* 1512, 1673, *celle* ...
3427, 4933, 13950, 27050, *yceulx* 11304, 17426, 18634,
27040, 28711; *nennin (non illum) nennil) nenny* 24676,
nennil 719, 3868, 3877, 9299, 10471, 31057.

Das Demonstrativpronomen *cest (ecce istum*, das heute
vor Kons. nur noch in der verkürzten Form „*ce*“ gebraucht
wird, steht znr Zeit unserer Texte auch noch vor Kons.,
jedoch bereits recht selten. In P. findet sich 372 mal „*ce*“
vor Kons. und nur noch 16 mal „*cest*“, z. B. 28891, 34213;
ceste cy 725 *cestuy* 107, 33528, *de cestuy monde* 1459, *de
cestuy mistere* 5200, *cestuy povre homme* 12401, *cestuy Jhesus*
13649, *cestui-ci* 21964, 25022, 28453

O.: *Cil qui* 18940, 20273, 10025, *iceluy jour* 639; *celuy
= celui-ci* 2691, 7149, 7149, 7155, 13630; *ce = cela* 2007,
1121, 1223; *icelle* 6869, 10395, 11777, 12396; *celle nuyt* 3535,
13948; *yceulx* 5127, 10094, 5383, 8792, 9654, 9794, 11046,
12947, 13533, *icelles* 2294, 2794, 3027, 3235, 3990, 13943,
nennil 3433, 7948.

In O. findet sich nur *ce* vor Kons., während die alte
Form *cest* vor Kons. nicht vorkommt, sondern nur vor Vokal;
en cestuy royaume 20492, 8186, 10017, 13180, *cestuy la* 20229.

T.: *Cil qui* 10767, 19318, *yceluy faiseur* 24873; *celuy* für *celuy-ci* 13916, *cil* = *celui-ci* 4130, 6721, 8781, 25302. (Nyrop II § 565 ff.), *icelle* 14000, 24657, 126, *celle fin* 1611, 1777, *celle branche* 126, *celle* für *celle-ci, celle-la* 1578, 2092, *nennin* 12476, 24515, 25683.

Die verkürzte Form *ce* ⟨ *ecce istum* vor Kons. kommt 75 mal vor, die alte Form *cest* findet sich vor Kons. 8 mal, z. B. 605, 9134, 1414; *de cestuy desir* 20974, *cestuy ambassadeur* 24061, *cestuy* 25089, *cestuy-cy* 2249, 10867, 15289, cf. Meyer-L., Hist. fz. Gram. I p. 196. Noch bis 17. s. in Kanzleisprache verwendet. Die Demonstrativa und Determinativa stehen noch zum grössten Teile auf afz. Standpunkte.

§ 80. Der Artikel.
Kontraktionen des Artikels mit Präpositionen:

P.: *as* 5129, *es* ⟨ *en les* 4282, 7332. 7916, 9885, 11244, 12678, 14272, 15686, 16760, 17326, 23139, 29272, 32732, *ou* ⟨ *au* ⟨ *a le* ⟨ *ad illum* 504, 855, 16184, 30640, 32167, 32234.

O.: *es* ⟨ *en les* 854, 10957, 11041, 13169, 15594, 15547, 16501, 16976, *ou* ⟨ *ad illum* 6403, 6807, 7147, 7179, 10543, 15039, 18177.

T.: *al advantaige* 21850, *es* ⟨ *en les* 3485, 11312, 12059, 14283, 19758, 20246, 20880, *ou* 1491, 4518, 7817, 21317, 25031, 25518. cf. Nyrop II § 502 ff. Für Belege in andern Texten cf. Brunot p. 427.

§ 81. Indefinita.

In unseren Texten sind nur ein paar Reste der afz. Formen erhalten:

P.: *quans hommes* 4360, *quantes annees* 9778..

O.: *nulluy* 4767, 4784, 5489, 6938, 7414, 13749, 13904, 15163, 19533, *nully* 786, 1207, 6120, 9695, 9875.

T.: *nulluy* 2387, 5435, 12622, 26030, *nully* 835, 5259, 10777, 15811, 16829, 22878, 23840, 24516.

§ 82. Relativa.

Zuweilen steht *qui* für *que* und umgekehrt *que* für *qui*:

1. *qui* für *que*:

P.: 21323, 19000.

O.: 3136, 3142, 16877.

2. *que* für *qui*:

P.: 3214, 13682, 13757, 21892, 25640, 31341.

O.: 6883, 13269.

T.: 1285, 13617.

3. Andere Fälle:

O.: *esquieulx* für *auxquels* 16976, *où* für *a qui: Par le haut Dieu où je me fie* 13674, *dont = en: Si devez dont prendre coraige* 571, 547, 8316.

III. Konjunktionen.

§ 83. Afz. Konjunktionen:

P.: *fors que* 72, 14182, 15628, *ains que* 4348, 7326, 9123, 14772, 15305, 15511, 17276, 19813, 21230, 27473, 31814, *aincois que* 11351.

O.: *fors que* 9366, *ains que* 2006, 14981, 16992, *aincois que* 429, 1838, 15249, 15867.

T.: *fors que* 10354, 25550, 25634, *ains que* 6866, 7711, 13771, 20209, 22989, 25569.

Se und *si* werden beide sowohl vor Vokalen als auch vor Kons. gebraucht, also keine Trennung mehr wie im afrz.; folgende Zählung:

antevokal: *se* in P. = 35,		antekons.: *se* in P. = 19,	
Keine Elision. O. = 10.		O. = 33,	
T. = 5.		T. = 53.	
antevokal: *si* in P. = 42,		antekons.: *si* in P. = 27,	
Keine Elision. O. = 14,		O. = 20,	
T. = 13.		T. = 19.	

So oft steht keine Elision und Wechsel von *se* und *si* innerhalb 8000 Zeilen; dagegen findet sich nur verhältnismäßig wenig Elision in P. = 24 mal,

O. = 9 mal,

T. = 40 mal,

und diese Beispiele sind in den ganzen Texten verteilt. Als Beispiele für Elision mögen dienen:

O.: On se en layra tout ainsi comme il est 945,

T.: Que se une foiz avez victoire. 9896.

2. *que* für andere Konjunktionen:

P.: *que* für *comme* 15575.

T.: *qui* für *que* 25629.

IV. Präpositionen.

§ 84. Afrz. Präpositionen:

P.: *o* ⟨ *apud* 8096, 10934, 10976, 18095, 25376, 26380, 29625, 29807, 32956, *ens* ⟨ *intus* 5155, 10185, 11897, 12425, 15328, 21896, 23834, 24516, 24718, 27276, 28835, 31537, *avecques* 32526, 33442; *jus* 24443, 24626, 25595, 28181, 28244, 27865, 28950, 29626; *sus* 5199, 6824, 7450, 7823, 12921, 12607, 13327, 15437, 19060; *tres* ⟨ *trans* nicht mehr alleinstehend, sondern nur noch in der Verbindung *trestout*; *ains mon trepas* (= *avant*) 21915.

O.: *o* ⟨ *apud* 9311, 11156, 20209, *ovec* 4984, 9370, 15490, es existierten in unseren Texten 3 verschiedene Wörter für das heutige allein gebrauchte *avec*, von denen *ovec* wohl als *avec* mit Labialisierung des *a* durch das folgende *v* zu erklären ist, wenn es keine Konstamination aus *o* ⟨ *apud* und *avecques* ist; *encontre* 5704, 6664, 17164, 18171, 20199; *dedans Orleans* 15085; *sus* 273, 2673, 2704, 2932, 7646, 5620, 14915; *ad* 108, 550, 6193; *por force de guerre* 19907 (*por* wohl nur ein Schreibfehler).

T.: *avecques* 3112, 15750; *dedans ung certain temps* 3847, *dedans deux jours* 7618, *dedans demy an* 7531, *jus* für *jos* (anal. *sus*) 7538, 14165, 20280; *sus* 836, 1902, 2486, 6617, 7527, 14250, 17586, 20284; *ains mons trepas* 7458, 7581, 7598, 9735, 10559, 11732, 12268, 17724.

V. Negationen.

§ 85. Afrz. Negationen, die neufrz. keine Anwendung mehr finden.

Die durch *ne* ausgedrückte Verneinung kann fehlen bei „*pas*": z. B. *pas* P. 31018. Andere Negationsverstärkungeu sind: *ne-mie* ⟨ *mica* 8471, 9298, 11723, 11254, 12795, 13148, 15885, 18799, 21291, 23944, 25384, 26521; *ne-onc, oncques* 179, 4358, 7925, 9719, 11977, 18851, 21829, 21860, 22056, 22317, 24246, 29301, *ne-mes* 8507, 10909, 21645, 17467, 20198, *ne-goutte* 14097, 14198, 20289, 16514, 26533, *nennil* 3868, 9299, 12959, 17425, 17787, 24676, 31057.

O.: *ne-mie* 1483, 1607, 2837, 4081, 6188, 13871, 14161, 15765, 20415, *ne-onc, oncques* 5912, 3356, 6493, *ne-mes* 2904, 8008, *nenny* 3433.

T.: *ne-mie* 14317, 20380, 20564, 20905, 23803, 23336, 24161, 25060, 25805, *ne-onc, oncques* 3830, 6161, 10118, 10548; *ne-mes* 2904, 25302, 25728, *nenny* 12476, 23134, 24515, 25683.

Kapitel II.

Konjugation.

§ 86. Doppelformen in den verschiedenen Konjugationsklassen.

Zur Zeit unserer Texte existierten neben den lautgesetzlichen Infinitiven noch vielfach Infinitive desselben Wortes, mit derselben Bedeutung, die aber einer anderen Konjugationsklasse angehörten.

1. Doppelform zu *oir* ⟨ lat. *ēre*:

P.: *manoir* 15862 = *maindre* 130.

2. Doppelform zu *re* ⟨ lat. *ēre*:

P.: *vainquir* 20682 (anal. *vainquis* gebildet), *convainquir* 18635 (neben *vaincre*), *ensuivyr* 6971, *aconsuivyr* 18665 (anal. *suivi*), daneben außer *suivre*, der gewöhnl. lautgesetzl. Form, noch *suir* 10920, 17670, *poursuir* 997, 10037, 16790, 18570, *querre* 952, 2751, *requerre* 42, 1640, 43952; *escourre : rescourre* 22790, *courre* 26357, cf. Meyer-L. Hist. frz. Gram. I p. 205: seit 14. s. *courir* analog *mourir*, wogegen *courra* noch heute in der Jägersprache lebt.

7

O.: *poursuivir* 4809, *poursuivoir* 1320, *conquerre* 2073, 2115, 2118, 15879, 17023, *requerre* 2513, 3221, 4353, *enquerre* 619, 1016, 16410, 16773, *courre* 1332, *deferre* 15759.

T.: *suir* 10920, 17670, 10173, *poursuir* 14105.

3. Anstatt Inf. auf *er* ⟨ *are* eine Nebenform *oir*:

O.: *trouvoir* 13157, 15949, *esprouvoir* 12142, *deramparoir* 10046, *acomparoir* 4278, 5780, 13904, *consoloir* 3770, 17496: *oir* für *er* im M. A. eine Zeitlang gebraucht nach Nyrop II § 74 Rem. Dies wurde vielleicht durch Futurformen veranlaßt: wie man zu *verai* einen Inf. *voir* hatte, so bildete man zu *trouverai* einen Inf. *trouvoir*. Die Ähnlichkeit veranlaßte Verwechselung.

4. Neben Infinitiven auf *er* ⟨ *are* und die Doppelform - *oir* stand noch eine dritte Form auf *ir*:

P.: *toussir* 22015 (⟨ *tussīre*) ist lautgesetzl. Form; *tousser* vielleicht von *toux* abgeleitet, eine postnominale Bildung, etwa vergleichbar mit *finer* P. 5541, 11919 anal. *fin* gebildet.

§ 87. Participia Praeteriti:

Afrz. Participia, die vom neufrz. abweichen.

P.: *sentu* 1420, 14320, 24605, 31177, 31657, 32407, cf. Nyrop II § 90: Im Mittelalter schwanken viele Participia zwischen -*u* und -*i*; *escheute* 9777 (cf. Neumann p. 103: pic. lothr. und burg. hält *ut* das *t* länger als in anderen Dialekten); *meschey* 43358 (partic. von *mescheïr*), *conclud* (*d* wohl nur angefügt eingedenk des lat. Inf's, also etymol. Schreibung); *benoit* 154, 3052, 4868, 5031, 7031, 26309, 26333, *benist* 3634: Kontamination von *benoît* und *béni*, § 102, Nyrop II; *preelicte* 7034, *ars* ⟨ *arsum* 26425.

O.: *suiveu* 17526, *poursuiveu* 16512, *cheute* 16468.

T.: *sentu* 8700, *partit* 21076, *arse* 11, 11168, 19185, 20381, 25221 (dem part. *ardu* gewichen).

§ 88. Doppelformen im Futurum.

1. Kurze Formen:

Sie stellen sich besonders leicht ein wo *r* -⊦ *r* und *n* + *r* zusammentreffen:

P.: *demourra* 7636, 7745, 12988, 31975, 33135, 33045, *demourront* 13921, *jourrai* 25839, *jourras* 25796, *jourrons* 25816, *merrez* 26984, *perra* 12042, 15168, 26414, 28807, *comparrez* 1147, *conclurray* 2247, 17164, *mecherra* : *decherra* 32336, *trouverrez* 5197, *menra* 5800, 26877.

O.: *demourra* 19361, *demourront* 13921, *merra* 16627, 18461, *retouray* 7256, *retorront* 16748, *orrez* 15023.

T.: *demourrez* 1046, 8690, *merray* 674, 755, 1483, 3903, 7359, *perra* 11727, 22182, *comperront* 1604, 13281, *charra* 22200, *orrez* 15023, *donroit* 1582.

Ich verzeichne ferner:

P.: *lerray* 14614, 19280, 27602, *lerra* 655, *lairrons* 21295, *lerrez* 902.

O.: *lerray* 3394, 6640, *lerra* 945, 11815, *lairrons* 16749, *delayroit* 11539.

T.: *lerray* 11795, *lerra* 20380, 26385, *lerrez* 1825, 11764.

2. Lange Formen: a) Muta + *r*:

P.: *rompera* 23953, 26254, *renderons* 14437, 17632, *perdera* 13117, *perderons* 23300, *sourderoit* 30087, *naisteroit* 5288, 5397.

O.: *pretenderons* 1927.

T.: *mecterons* 448.

b) *v* + *r*:

O.: *suiverons* 5080, 6498, 14638.

T.: *deveroit* 7937, 14363.

§ 89. „*i*" als Bindevokal in endungsbetonten Formen im Konjunktiv Plusquamperfekt der Verba I. Konjugation.

P.: *ordonissions* 7267, (einmal findet sich auch *trouvisses* 11577, das analog nach der regelmäßigen 1. und 2. plur. gebildet ist).

O.: *trouvissions* 9349, *amendissiez* 20193, *alissions* 19674, *alissiez* 20064 (*avansissent* 20068 anal. nach den endungsbetonten Formen, cf. Nyrop II § 201, 2).

T.: *menissions* 23420, *gardissiez* 10926, *saluissiez* 18449, *allissiez* 4635, 16141, 20064, 23177, 25360, *alissions* 578,

7*

1436, 4848, 8531, 18940, *trouvissions* 11315, cf. Meyer-L.:
Hist. frz. Gram. I § 337: Noch im 16. s. solche Formen,
nur langsam Einbürgerung der Formen auf *-assions, -assiez*.

§ 90. Endungen des Verbums.

Indikativ.

I. Praesens.

1. a) 1. pers. praes. mit und ohne· *s*.

α) ohne -*s*:

P.: *je croy* 674, *je pretend* 324, *je n'atend* 325.
T.: *je say* 157, *je pren* 1814, *je voy* 764 usw.

β) mit *s*:

P.: *je prends* 2288, *je tiens* 2244.
O.: *je respons* 3783, *je requiers* 3815.
T.: *je metz* 13178, *je rends* 17934. Im ganzen beträgt
die Zahl der Fälle in 4000 Zeilen:

a) ohne *s*:	b) mit *s*:
P. = 48,	P. = 24,
O. = 69,	O. = 22,
T. = 81.	T. = 31.

Die *s*-losen Formen sind die noch bei weitem häufige-
ren. Das Verhältnis der *s*-losen 1. sg. zu denen mit -*s* ist
in den 3 Texten verschieden; aber die *s*-losen sind doch
stets überwiegend. Als Verhältniszahl ergibt sich bei

$$P. \approx 4:3.$$
$$O. \approx 2:1.$$
$$T. \approx 3:1.$$

b) 1. pers. sg. 1. Konj. mit und ohne *e*:

α) ohne *e*:

P.: *je pry* 1502, *je salu* 3444, *je remercy* 3558.
O.: *je supply* 61, *je pry* 43, *je remercy* 2.
T.: *je pry* 56, 108, *je salu* 2036.

β) mit *e*, wie neufrz.:

P.: *je prie* 1324.
O.: *je remercye* 265.
T.: *je supplie* 3748. Die Zählung ergab in 4000 Versen

α) ohne *e*: P. = 7,   β) mit *e*: P. = 12,

O. = 16,   O. = 26,

T. = 4.   T. = 49.

Die Formen mit *e* sind bereits am häufigsten gebraucht.

2. Die 1. pers. plur. prs. und Imp. mit der Endung
-on und *-ons*:

a) *-ons* in 4000 Zeilen: b) *on* in 4000 Zeilen:

P. = 62,   P. = 3,

O. = 93,   O. = 4,

T. = 32.   T. = 1.

Sehr wenig wurde in unseren Texten die Endung *-on* angewendet, wie vorhergehende Zahlen zeigen.

3. 2. pers. plur. prs. und Imper. mit der Endung
-és und *-ez*.

Mit *-ez* wechselt *-és* (nur graphische Verschiedenheit).

II. Imparfait und Conditionel.

1. Die 1. pers. sg. mit *-ois* und *oie*:

In 4000 Zeilen ist die Endung d. 1. pers. sg.

a) *-ois* in P. = —,   b) *-oie* in P. = 21,

O. = 2,   O. = 19,

T. = 0.   T. = 57.

Die paroxytonischen Formen sind noch die allgemein gebrauchten (cf. Nyrop II § 161).

2. Die 2. pers. sg. mit *ois* und *oies*:

a) *-ois* in 4000 Zeilen in P. = —,   b) *-oies* in P. = 3,

O. = —,   O. = —,

T. = 1.   T. = 7.

Auch hierin bis auf eine Ausnahme nur paroxytonische Formen.

3. Die 3. pers. sg. geht oxytonisch aus, die paroxytonischen Fälle = Angleichung an 1. und 2. sg. Die Verteilung von *oit* und *oie* ist folgendermaßen:

a) *-oit* in P. = 75,   b) *-oie* in P. = —,

O. = 52,   O. = 2,

T. = 89.   T. = 3.

III. Das Perfektum.

Das Perfektum hat in der 1. pers. sg. noch vielfach Formen ohne -s, z. B.:

P.: *je nasqui* 4482, *je vy* 24623, 33353, 33458.

O.: *j'entendy* 33, *je party* 977.

T.: *je reffraigny* 11629, *je n'apparceu* 55. Noch zu Anfang des 16. s. solche Formen, Malherbe hat noch den Reim *couvri* : *Ivri*, erst Vaugelas (Remarques I, 226), schreibt vor, *s* auf keinen Fall fortzulassen (cf. Nyrop II § 169); Suchier: Grdr. I p. 779: 1. sg. auf *i* und *ü* bis 16. s., wo man vor Vokal das *s* der 2. pers. antreten ließ.

IV. Futur.

1. 1. pers. sg.:

Der Wechsel zwischen *é* und *ay* ist nur orthographisch. Wichtiger dagegen sind die 8 Fälle mit der Endung *a* für *ai*, die in P. vorkommen, es sind dies folgende Reime: *sage* : *fera je* 589, 11008, *rage* : *fera je* 1102, *oultrage* : *ara je* 1202, *dira je* : *oultrage* 2545, *servage* : *ara je* 1600, *rage* : *pendera je* 21958, *fera je* : *rage* 23046, : *ouvrage* 24392, *aage* : *ira je* 32059. Vergleiche darüber § 5, 6aβ.

2. -ons und -on:

a) -*ons* i. gz. Buche P. = 106,   b) -*on* in P. = 14,

O. = 163,   O. = 63,

T. = 127.   T. = 11.

(cf. Praesensendung -*on*.)

Konjunktiv.

I. Praesens.

1. Die 3. pers. sg. der 1. Konjugation hat bereits immer die Endung *e*, ausgenommen sind die Fälle, in denen der Konjunktiv in Redewendungen steht, z. B.:

P.: Dieu te toint en vertus accroistre 1410, Dieu vous doint faire bonne garde 7074, 20456, 32516, 33744, 34063; Et Dieu l'envoist male adventure 20930; se m'aist Dieu 4578, 1387, 31305; Dieu vous gard 12082, 14225, 23917.

O.: Dieu sault la tres noble Pucelle 18630, Dieu vous sault 13868, Dieu vous doint 320, 535, 4457, 6730, 7188, 15024, 13842, 15036; se mes Dieux 11665, 19458; Dieu vous gart 467, 5407, 8270, 9600.

T.: Dieu vous sault 2886, 4572, 13036, Dieu vous doint 36, 2455, 7841, 25779, que Dieu me pardoint 15147, se maist Dieu 13534, 18398, 19707, 20470, 25781.

2. 1. pers. plur. mit Endung *-on*, *-ons*, *-ion*, *-ions* im ganzen Buche.

a) *-on*:	P. = 12,	b) *-ons*:	P. = 22,
	O. = 18,		O. = 50,
	T. = 2.		T. = 14.

c) *-ions* und *-ion* in Verben, in denen sich lautgesetzlich ein *i* entwickeln mußte, z. B. *sachions* T. 4263:

α) *-ions* in	P. = 23,	β) *-ion* in	P. = 5,
	O. = 14,		O. = 7,
	T. = 19.		T. = 2.

d) *-ions* und *-ion* als Endung in anderen Verben:

α) *-ions* in	P. = 6,	β) *-ion* in	P. = 3,
	O. = 28,		O. = 2,
	T. = 11.		T. = 4.

3. 2. pers. plur. mit den Endungen *ez* und *iez* im ganzen Buche:

a) *-ez*, *-és*: P. = 44, O. = 70, T. = 63.

b) *-iez* in Verben, in denen *i* in der Endung *-iez* ursprünglich ist infolge eines vorausgehenden Palatals z. B. *sachiez* P. 11827.

Es findet sich in P. = 20,
O. = 24,
T. = 41.

c) *-iez* als Endung in anderen Verben:

P. = 4,
O. = 8,
T. = 22.

Der Wechsel zwischen *-ies* und *-iez* ist nur graphisch. Die Endung *-ez* wird noch häufiger für den Konjunktiv gebraucht als *-iez*.

Besonderer Erwähnung verdient

4. Konjunktiv von esse:

a) 1. pers. sg. paroxyton. und oxytonisch:

α) soie in P. = 2,
O. = 3,
T. = 7,

innerhalb 4000 Zeilen, während die oxytonische Form in keinen der 3 Texte innerhalb dieser 4000 Zeilen vorkommt.

b) 2. pers. sg. paroxyton. und oxyton. in 4000 Zeilen:

α) sois in P. = —;   β) soies in P. = 5;
O. = —;   O. = 3;
T. = —.   T. = 4.

Soies und *soie* also nur paroxytonisch innerhalb der 4000 Zeilen vorkommend. Die 3. pers. hingegen nur oxytonisch, niemals paroxytonisch, *soit* ja schon im ältesten afrz. oxytonisch. Über die Endungen cf. Nyrop II § 139, p. 111.

II. Imparfait.

1. Die 1. pers. plur. m. Endung *-ons, -ions*:
a) *-ons* i. gz. Buche: P. = 3,   b) *-ions* i. gz. Buche: P. = 35,
O. = —,   O. = 11,
T. = 1.   T. = 22.

2. Die 2. pers. plur. mit d. Endung *-ez* und *-iez*:
a) *-ez* im gz. Buche P. = —   b) *-iez* in P. = 33,
O. = —   O. = 28,
T. = 6.   T. = 40.

cf. Nyrop II § 203. Die Endung *-iez* ist die herrschende in allen 3 Texten.

§ 91. Verba mit neufz. Inchoativbildung.

P.: *haïr* : *heez* 20301, *heent* 12574, 14388, 15391, 17425, 20504; *nous hayons* T. 19231, *hayent* T. 1124, 9706, 25157. Erst seit Ende des 16. s. werden die inchoativen Formen verallgemeinert, neufz. ist nur *je hais* erhalten vom alten Paradigmum.

enfouir : *on enfoue* P. 21710.

fleurir : *fleurant* T. (Prol.) 10, 12.
esjoyr : *esjoyent* P. 4674.

§ 92. Verba mit vokalischer Stammabstufung.

(cf. Behrens, Unorganische Lautvertretung innerhalb der formalen Entwicklung des fz. Verbalstammes, Fz. Stud· III Heft 6.)*

a — ai:

1. *amer* ⟨ *amare* P. 13549. 14005, 14561 [*aymer* O. 2991; T. 189, 2198, 3062].

P.: Ind. praes. *il ayme* 1395, 11997, 13546, 16602 usw. [*il ame* 7071, 11680, 15376], *amez* 14768, 22070, 19774. Ind. Imperf. *amoit* 15023, 15029. Konj. Imperf. *amasse* 17781, 31672 [*aymasse* 3768], *amast* 25957. Perf. *amay* 8393, 22644, *amastes* 29658. p. p. *amé* 1634, 3312, 3354, 4939, 9502, 11797, 13317, 15752, 24473 [*aymé* 34316]. Fut. *amera* 13116. Cond. [*aymeroye* 24410].

O.: Ind. praes. [*aymez* 11180, 11261, 11533]. Konj. Impf. *amasse* 3111, 3114, 5627, 24128. p. p. [*aymee* 7149, 7155, 10085, 13116, 14417].

T.: Ind. praes. [*aimez* 4713, 6073, 6210]. Ind. Impf. *j'amoie* 413, 3328, 10350, 12391, 12398, 13139, 13421, 25460 [*aymoie* 29, 1285, 5052, *aimoit* 20530]. Konj. Impf. *amasse* 15287, 24483, 23228, 24499, 26321, 27125 [*aymasse* 9352, 11473, 12219, 23355 u. ö.]. p. p. *amé* 17951, 16993, 24655, 26338 [*aimé* 2246, 8047, 23717 u. ö.]. Fut. *ameray* 8078 [*aymeray* 2060, 5755, 24130]. Kond. *ameroye* 3331, 3821, 4003. In P. herrschen die organischen Formen noch vor, in O. überwiegen die anorganischen Formen und in T. sind beide Arten etwa zu gleichen Teilen vorhanden.

2. clamer:

P.: Ind. praes. [*clame* 394, 5077, 6028, 7070, 7546, 11681], ebenso [*proclame* 10197, 11029 usw.], *clamons* 5040, *clamez* 14767, *claiment* 3939.

O.: Ind. praes. [*clame* 15220].

T.: Ind. praes. *aymcnt* : *claiment* 11428.

---

* Die eingeklammerten Formen sind unorganisch.

3. *remanoir* P. 15339.

P.: Ind. praes. *je remains* 13919, *remaint* 14164, 14732, 28726, *mainent* 15009. Konj. prs. *remaine* 14923.

a — e.

4. *aparoir* P. 3211, *comparoir* O. 5780.

P.: Ind. praes. *appers* 11951, *pert* 7071, 16740 (BC, dagegen A [*part*]), *appert* 6624, 14855, 24461. Konj. praes. *appere* 490. 1700, 2879, 3477, 7733, 8735, 10286, *reppere* 491, 3475, *compere* 1903, 5076, 7820, 8334. Fut. *comparrez* [*comperra* 19838].

O.: Ind. praes. *appert* 13549. Konj. praes. *appere* 13573.

T.: Ind. praes. *appert* 285 (Prol.), 16598, 16802, 22378. Konj. praes. *compere* 1830, *appere* 2045, 14014. Fut. [*comperras* 17309, *comperrez* 672, *comperront* 1604], *comparras* 667.

5. *declarer* P. 17642, *declairer* P. 13877, 34228; T. 187
14650.

P.: Ind. praes. *declaire* 3396, 6128, 12091, 12544, 22885, 27800, *declere* 13687, 20266 [*declare* 18180], *declarez* 13340 [*declairez* 2775, 34326], *declairent* 16903. Fut. *declarerez* 3368. p. p. *declaree* 3157, 3541.

O.: Fut. [*declairont* 19775]. p. p. [*declairé* 7718, 9796].

T.: Ind. praes. *declaire* 7645, 18702 [*declairez* 15131]. Ind. Impf. [*declairiez* 17359]. Fut. [*declaireray* 866, 4723, 8866]. p. p. [*declairee* 1586, 6869, 11843]

6. *savoir*:

P.: Ind praes. *sces* 711, 7843, 10513, 12307, *scez* 25233, *scet* 3537, 9858, 9881, 12591, 15812 usw., *scevent* 4476, 14431, 20724, 23297, 25111, 29561. Fut. *scaray* 10594, 22783, 30583, *sçaras* 18024, 18250, 21745, 22401, *sçara* 1288, *scarez* 28132. Kond. *scaroye* 9257, 9268, 9447, 25783, *sçaroit* 5978, 8169, 11995, 16514, 25583, *scauroit* 9604, 18216, *scariez* 14886, *scaroient* 18257.

O.: Fut. *scara* 2230, 15598, 2564, 25817, *scarons* 8361, 19776, *scarez* 8102, *sarois* 12887, *saroye* 5644, 7763, 8813, *scaroit* 7567, *saries* 7372.

T.: Ind. praes. *scez* 17890, 22278, *scet* 3324, 17881, 20597, *scevent* 4947, 5524, 8539, 9789, 10218, 19168, 20912, 22009, 24324, 25549 (*savent* anal. nach endungsbet. Formen); *sceuvent* 13978 (anal. nach *peuvent*). Fut. meist Formen wie *scauront* 3424, *scaurez* 18520. Kond. *sauroit* 18536, 21840, *scaroit* 26954, 25097.

e — ei, oi.

7. *creoire*:

P.: Ind. praes. *creez* 23292, 25586, 25887, 26981, 30696 [*croyez* 4525, 7793, 8244, 8667, 11502, 11643, 12151, 13499, 14609 u. ö.], im ganzen Texte 21 mal *croyez*, daneben nur 5 mal *creez*, also noch etwa 25 % von der organischen Form, sonst schon lauter anal. Formen; *creons* ist nicht vertreten, nur [*croyons* 6290, 6521, 7111, 8231 u. ö.]. P. praes. *creant* 14966.

O.: Ind. praes. *creons* 9723 [*croyons* 18654, u. ö. ... i. g. 8 mal], *creez* 28542, 30197, [*croyez* 171, 193, 1821, 3639, 3746 u. ö., i. g. 36 mal], nur etwa 6 % der org. Form *creez*.

T.: weist nur unorg. Formen auf wie [*croyons* 3485 u. ö., *croyez* 1619 u. ö.].

8. *devoir*:

P.: Konj. Praes. *doyez* 1354, 2211, 16336, *doyons* 5215. Nur die org. Formen sind vertreten.

O.: Konj. Praes. *doyons* 13737, *doyez* 16730 [*devions* 14445].

9. *esperer*:

P.: Ind. und Konj. Praes. *j'espoir* 19021, *j'espoire* 14139, 25689, 32009 [*j'espere* 30025, 31741].

O.: Ind. u. Konj. praes. *espoir* 817, 8610, 11205, 13053, 16973, 17908, 18074, *espoire* 4419, 5218 [*espere* 1344, 3858, 6338, 9160, 12299, 19778 u. ö.].

T.: Ind. praes. *espoire* 6379 [*desepere* 1943].

10. *mener* O. 20178:

P.: Ind. Konj. praes. *maine* 5815, 6116, 13338, 21120, *mainent* 7459, 10562, 18937.

O.: Ind. Konj. praes. *maine* 10205, 19806 [*amenent* 20367], *amenons* 12438.

T.: Ind. Konj. praes. *mayne* 676, 1719, 3145, 5114, *amayne* 28013, 3010, 9996, 2111, 23436 [*ramene* 66], *menez* 1024, *ameynent* 10109, 20780.

11. *pener*:

P.: Ind. praes. *se peine* 18555, *se peinent* 12810, 23982. p. p. *pené* 13191, 24785. Fut. [*peineront* 8407].

12. *peser*:

P.: Ind. praes. *poise* 2539, 5662, 7673, 12141, 12219, 12452, 15945, 19266, 21184, *poisent* 31841.

O.: Ind. Praes. *poise* 7911, 7914, 13704, 18963.

T.: Ind. praes. *poise* 13198, 13314, 14760, 15859, 17162, 18399, 18683, 19564, 24614, 26557.

13. *veoir*:

P.: Ind. praes. *veons* 32912 (nur einmal) [*voyons* 4573, 4744, 4749, 5218, 5957, 5965, 6492, 7108, 11442 u. ö.], *veez* 4513, 6393, 15618, 21272, sonst immer [*voyez* 624, 996, 5891, 5713, 7802, 8122 u. ö.], im ganzen Texte 39 mal *voyez* 4 mal *veez*, etwa noch 10 % der alten organ. Form *veez*. Imper.: *veon* 9824, *veez* 1656, 5153, 5693, 5885, 6215, 6440, 6930, 7395, 7969 usw., hier kommen nur organische Formen vor. P. praes. *veant* 10198, 11740, 14275, 34276 [*voyant* 7183, 7835, 11523], 17 mal *voyant* und 4 mal *veant*. Fut. *verrez* 1017 [*reveirons* 33132].

O.: Ind. praes. *veés* 8442, 8973, 21684, *proviez* 16126 (*i* wohl nur in Dissimilation zu *ez*), sonst immer *voyez* 50, 501, 629, 753, 961, 1239, 1723, 27959 usw.], im gz. Buche findet sich 59 mal *voyez* und 4 mal *veés*, also noch etwa 5 % der alten organischen Form; *veons* ist nicht vertreten [*voyons* 2674, 3034 u. ö.]. Fut. [*voyra* 2562], anal. n. Inf.

T.: Ind. praes. [*voyons* 8741, 16063 u. ö.], [*voyez* 1144, 2302, 2304, 2362 usw. ... im gz. Buche 39 mal], daneben nur 2 mal *veez* 8664, 23397, also nur $5^1/2$ % an alten org. Formen. Impf. [*voyoient* 8835]. p. praes. [*voyant* 12408, 22212. Imper. stets nur *veez* 287, 2974, 4312, 4505, 7332,

7498, 7922, 8753, 10334, 20271, 21111 u. ö. Fut. *verrez* 120, 904, 20269 usw.

e — *ie.*

14. *abrevier*:

P.: Praes. ind. *abriefve* 4895.

15. *achever*:

P.: Ind. praes. *achieves* 11740 [*achieves* 11947, 18251].

16. *cheoir*:

P.: Ind. praes. *il chet* 2480, 11129, 12527, 12686, 12757, 21397, 27784, 30286, 32875, *eschet* 17780, *meschet* 21682, *cheent* 1923, 15018, 25349. Konj. praes. *chee* 26903. Fut. *cherray* 28070, *descherras* 21675, *mescherra* 32335.

O.: Ind. prs. *cheent* 16603. Fut. *cherra* 2483, *cherront* 5306.

T.: Ind. praes. *chiet* 9068, 13339, 19770, *eschiet* 16518, *eschet* 26740.

17. *crever*:

P.: Ind. praes. *crieve* 1767, sonst [*creve* 4383, 22291, *crevent* 30000]. p. p. *crevant* 18215.

18. *ferir* P. 446:

P.: Ind. praes. *fiers* 21935, 22908. p. p. *feru* 19609.

T.: Ind. praes. *fiers* 13174, *fiert* 9528, 19843, 19866, 20691, *affiert* 652, 3838, 8197, 9296, 9254, 18780, 19141, 19232. Konj. praes. *affiere* 9122. p. p. *feru* 8707, 9519, 12251.

19. *grever*:

P.: Ind. praes. *griefve* 1459, 9314. 2167, 4849, 13931, 14728, 16430, *grieve* 4894, *agriefve*: (*creve*) 28936, *griefvent* 7266 (A. *grifue* cf. Vokalismus § 2, 1). Imperf. *grevoient* 2448. Fut. *grevera* 4889. p. p. *grevee* 4886.

O.: Ind. praes. [*grefve* 5651]. p. p. *grevee* 3690.

20. *lever*:

P.: Ind. praes. *lieve* 7280, 8006, 10178, 17395, 30692, *eslieve* 20786 [*leve* 12436, 12636, 14835, 29149], *lieves* 11741 [*leves* 11948 (: *acheves*)], *eslievent* 22939 [*levent* 16716]. Fut. [*eslievera* 3931, 7928, 30692, 30702, *relieveront* 16751, 22939].

O.: Ind. praes. *relieve* 25088. Imper. *lieve* 4126. Fut. *releveray* 18194 [*lievera* 18946, 13739].

T.: Ind. praes. *relieve* 25088. Imper. *lieve* 4126. Fut. *releveray* 25104, [*lievera* 550, 1028, 13339].

21. *querir*: P. 7989, 8053, *querre* P. 20172, 20538.

P.: Ind. praes. *quier* 21255, *quiers* 1580, 7133, 9427, 13845, 15498, 24424, 29940, *quiert* 2809, 5470, 9334, 18820, *querons* 5548, 6002, 6042 usw., *querez* 7728, 9130, 12134 u. ö., *quierent* 6771, 15392, 21623, 21907. Konj. praes. *quiere* 28601, 30498. Ind. Impf. *queroit* 4773, 8011, *queroient* 14885. Fut. *querray* 4501, 9229, *querront* 1196.

O.: Ind. praes. |*requerent* 6060] analog nach endungsbetonten Formen.

T.: Ind. praes. *quier* 527, 2161 [*je requer* 19194], *quiers* 1750, 2095, 2590, 3521, *quiert* 650, 655, 19618, 22363, *quierent* 5035, 22897 [*requerent* 325 (Prol.), 3578]. Konj. praes. *quiere* 4771. p. praes. *querant* 2276, 8832, 24929. Ind. Impf. *queront* 14625, *queroient* 8832.

22. *seoir* P. 12037.

P.: Ind. praes. *il sied* 9870, *siet* 11316, 18439, *asseons* 20875, 22918, 22948, *sieent* 27721. Konj. praes. *se siee* 11181, 15339. Ind. Impf. *seoye* 14199. Imper. *sie toy* 14402, *seez* 12039, 20878, 12929, 18452, *asseez* 17941, 26570. p. praes. *seant* 18415, 26080. Fut. *asserray* 2837.

T.: Ind. praes. *siet* 1459, 1640, *seez* 2724, 2730, 22744, 25511 [*se soient* 25007] anal. nach Konj. praes.; *asseyent* für *asseent* tritt seit 14. s. auf. Konj. prs. *se see* 2733. p. praes. *seant* 26960.

23. *tenir*:

P.: Fut. *tendray* 3280, 3473, 5399, 9898, 18704, 25055, *tendra* 3473, *entretendra* 8445, *tendras* 18645, *tenras* (ohne Gleitlaut) 22175, *tendrons* 3421, 4423, *tendront* 8056. Kond. *tendrois* 15759.

O.: Ind. praes. [*tennent* 1975, 15960, *tenent* 17356], e-Vokal anal. nach endungsbet. Formen. Fut. *tendray* 2119 [*tiendray* 16113], *tendra* 449, 4644, 7933 [*tiendra* 10552 u. ö.], *tendrons* 18955 [*tiendrons* 14963], *tendront* 3824 [*tiendront* 5638 u. ö.].

T.: Fut.: *tendray* 69, 417, 15299, 21705 [*tiendray* 2162, 6031], *tendras* 12949, *tendra* 158, 246, 962, 15910, 23403 [*tiendra* 1129, 2649], *tendrons* 25318, *maintendrez* 1731, 3118, 15907, *tendront* 19023, daneben Formen ohne Gleitlaut *tenrons* 4893, 27605, *tenres* 25308. Kond. *tendroit* 1598, 6046 und *tenroit* 25722. Die Formen ohne *d* sind östl. Formen, denn der Gleitlaut fehlt zwischen *n* und *r* im Pikard. und Wallon. cf. Suchier, Auc. und Nic. p. 68. Konsonantismus § 46.

24. *venir*:

P.: Fut. *vendras* 1784, 1999, 6857, 11093, 32927, *vendra* 205, 739, 801, 1091, 1114, 4397, 6268, 11614, 25123 [*advienra* 804], *vendrons* 602, 1168, 10403 [*reviendrons* 29185], *vendrez* 801, 2477, *vendront* 4839, 6938, 7915, 8836, 10084, 17580, ohne Gleitlaut *venrez* 19259, *vendroit* 4172, 3693, 9774.

O.: Fut. *pervendra* 12567, 14563 [*viendra* 1381, 4370, 4992, 5570, 6137 u. ö., *souviendra* 445, 1915, 2279, 3180], *parvendrons* 15815, *parvendrez* 13296, 14962, *vendront* 1716, 1802, 5038, 5242 [*vindront* 7533 u. ö.].

T.: Fut. *revendray* 19601, 23752, *vendra* 2843, 6622, 25392, *souvendra* 19672 [*viendra* 178, 905, 1839, 23126], *revendrons* 1857, 21208, *vendres* 1682, 2526, 3525, 15906 [*viendrez* 3931 u. ö.], *venront* 26210. Kond. *vendroit* 4478, 4484, 6317, 8445, 23773, 10059, 15259.

ei, oi — *i*.

25. *nyer* ‹ *nĕgare* P. 30311, 31662.

P.: Perf. *je* [*renyay* 29641]. p. p. *renoyé* 28568 [*nyé* 33005]. Der Ausgleich zu gunsten der stammbetonten Formen ist schon fast ganz durchgeführt.

o — *uo (ue)*.

26. *couvrir*.

P.: Ind. praes. *descueuvre* 17076, 27795 (: *oevre*), *cueuvre* 13313.

T.: *desqueuvre* 9145, *queuvre* 27021.

27. *demourer* P. 10438, T. 843, 2000, 5061, 16702, 18779
[*demeurer* O. 16150]:

P.: Ind. praes. *je demeure* 1579, 4111, 7908, *demourons* 13607, 17735, 24056, 25180, 28625, 30980, *demourez* 12991, 15450, 18674. Part. praes. *demourant* 13011. Perf. *demourasmes* 20112. p. p. *demouree* 13018, 16395, 17802, 19822. Fut. *demourray* 12434, *demourra* 16579, 27769, 21722, *demourront* 13921. Kond. *demourroye* 21685.

O.: Ind. praes. *demeure* 8733, *demourons* 8421, *demorez* 4974 [*demeurez* 20247, 20359, 20369], *demeurent* 11064. Konj. praes. [*demeurions* 5661] Perf. *demora* 20253. p. p. *demouré* 2590, 10059, häufiger [*demeuré* 8791, 8930, 12425, 18013]. Fut. *demouray* 8110, *demouront* 16295, 20025.

T.: Ind. praes. *demeure* 847, 927, 985, *demourons* 18972, *demourez* 1022, 2870, 3878, 6094, 25319, *demeurent* 24992. P. p. *demouré* 21404 [*demeuree* 4932]. Fut. *demourray* 17485, 27915, *demourras* 18386, *demourerons* 7223, *demourrez* 1046. In P. kommen nur organische Formen vor, in T. ist eine einzige anorganische Form, in O. hingegen finden wir überwiegend anorganische Formen.

28. *douloir*:

P.: Ind. praes. *deult* 2517. Konj. praes. *je me deuil* 1932. Impf. *se douloit* 41.

29. *mourir* P. 12211, T. 898.

P.: Ind. praes. *je meurs* 29097. Konj. praes. *muyre* 12143, 15566, 15688, 15939, 18832, 23070, 15990. Konj. Impf. *mourust* 756. Fut. *moront* 2262.

T.: Ind. praes. *meurs* 3133, 5311, 12314, *meurt* 8974, *meurent* 18500. Konj. praes. [*meure* 18649, 9840, *meurent* 18834] anal. nach 2. u. 3. prs. sg. Ind. praes.

30. *ouvrir*:

P.: Ind. praes. *oeuvre* 90 [*ouvre* 17324], *ouvrez* 2063, *œuvrent* 19361.

O.: *euvre* 23778.

T.: Ind. praes. [*ouvre* 18407].

31. *ouvrer* P. 20589, T. 1373, 19374.

Ind. praes. *œuvre* P. 12533. p. p. *ouvré* 16874, 16880.

32. prouver:

P.: Ind. praes. *impreuve* 2290, 21524, *je preuve* 2586, 8501, *appreuve* 2658, 5469, 8792, 13589, 15132, 19607, 20610, *esprouvons* 9134, *preuvent* 8454, *appreuvent* 11336. p. p. *comprouvée* 3459, 6471, 9552.

O.: p. p. *esprouvée* 12894.

T.: Ind. praes. *appreuve* 11327, 18962, 24266, *esprouvez* 13262, 16086. p. praes. [*repreuvant* 12127] anal. nach d. stammbetonten Formen. p. p. *prouvee* 5112, 12278, 18074, 22544, 22947.

33. soloir:

P.: Ind. praes. *je sieulx* 15520, *seullent* 6100, 16714. Ind. Impf. *je souloye* 27084, *tu souloyes* 24048.

T.: Konj. praes. [*on se soule* 9914] anal. n. d. endungsbetonten Formen. Ind. Impf. *je souloye* 10448, 13385, 19863, *soloit* 15985, *souloient* 10502.

34. souffrir:

P.: Ind. praes. *seuffre* 1413, 1614, 10385, 10607, 13955, 18869, 21911, 23056, 25042, 26133, daneben etwa gleich häufig [*souffre* 3799, 11903, 29314 u. ö.], *tu seuffres* 23197, 25223. Kond. *souffreroye* 18015.

O.: Ind. praes. *seuffre* 16607, 20924 [*souffre* 18736].

T.: Ind. praes. *seuffre* 3323, 3622 [*souffre* 787], *seuffrent* 17767, 22563 [*souffrent* 2784]. p. p. *souffert* 18335, 23819.

35. trouvoir, trouver 573:

P.: Ind. praes. *treuve* 1538, 2126, 2289, 2585, 4491, 5470, 10053, 10706, daneben ebenso oft die unorgan. Form [*trouve* 4567, 5525, 9428, 9445, 9534, 26830], *tu treuves* 4755, 23381, 25751, *il treuve* 32773, *treuvent* 12385, 12415, 12426, 15928. Perf. *trouva* 9558. p. p. *trouve* 5490, 7152.

O.: Ind. praes. *treuve* 7120, 8121, 8129, 16321, daneben ebenso oft [*trouve* 15173, 19730, *trouves* 11940, *trouvent* 12497, 19108 u. ö.] anal. nach endungsbetonten Formen. Fut. *trouverras* 7014, *trouverrez* 126, 138.

T.: Ind. praes. *treuve* 310 [Prol.], 14840, 17848, 24376, 25693, daneben [*trouve* 20857, 24342 u. ö.], *treuvent* 24535,

8

p. p. *trouvee* 2220, 16045, 18075. In allen 3 Texten sind etwa zu gleichen Teilen die alten lautgesetzlichen Formen und die anal. Formen zu finden. Der Ausgleich endet mit dem Sieg der endungsbetonten Formen.

o (ou) — eu.

36. *courir*:

P.: Konj. praes. *sequeure* 2002, *secueure* 26527 (: *heure*), [*secourt* 21559]. Fut. *encourra* 13764.

O.: Ind. Konj. praes. *seceure* 889, 4282, 4734, 5121, 3132, 17377, *secourez* 12541.

T.: Konj. praes. *sequeure* 6748, 14434. *sequeurent* 21867.

37. *honnorer*:

P.: Ind. praes. *honneure* 5104, 15282. p. p. *honnourés* 17460.

38. *labourer* P. 10439, O. 22763.

P.: Ind. praes. *il labeure* 13309, 25250. p. p. *labouré* 9309, 17803. Fut. *labourrez* 16858.

O.: Ind. praes. *labeure* 891.

T.: Ind. praes. *labeure* 6745, 14146, *labourons* 22763, Ind. Impf. *labouroient* 25012. p. p. *labouré* 27476.

39. *plourer* P. 15006, 24082, T. 1938, 19909, 22326 [*pleurer* T. 16701, 26545].

Ind. praes. *il pleure* 2084, *plourons* 4055, daneben [*pleurons* 13602, 24044], *pleurent* 13929. Ind. Impf. *plouroit* 2524. p. praes. *plourant*, 17852, *plorant* 28583. p. p. *ploure* 1338, 14053, 16394. Fut. *plorera* 5517.

T.: Ind. praes. 955, 1982, 2697, dagegen [*ploure* 22323] anal. nach endungsbetonten Formen, *pleurent* 22339. Ind. Impf. [*pleuroye* 12817]. p. p. [*pleuré* 2677]. p. praes. *plourant* 13471.

oi — ui.

40. *appoyer*.

P.: *appoyent* 4685 (anal. nach endungsbetonten Formen; im neufrz. haben die stammbetonten Formen den Sieg davongetragen, der durch d. subst. *appui* erleichtert wurde).

41. *ennoyer* T. 810.

P.: Ind. praes. *ennuyt* 4105, 19777, *ennuye* 14847, 15325, 21352, 30668, daneben [*ennoye* 15812, 21685, 26325, 30824]. Perf. *ennoya* 17045. p. p. *ennoyé* 28564. p. praes. *ennoyans* 2085, 1942. Im neufrz. Sieg der stammbetonten Formen unter Mitwirkung des subst. *ennui*.

O.: Konj. praes. *ennuye* 10709, 10513.

T.: Ind. praes. *ennuye* 662, daneben [*ennoye* 26409].
Eine analogische Stammabstufung liegt vor in:

42. *cuider*:

P.: Ind. praes. *cuide* 8098, 9353, [*cuidez* 417]. Ind. Impf. [*cuidoye* 9219, *cuidoit* 3507. p. praes. *cuidans* 16822. Fut. *cuideront* 11860].

O.: Ind. praes. *je cuide* 5220, 7449, 8656, 13992, *tu cuides* 3447, 11923, [*cuidez* 7460, 7489, 10328], *cuident* 19049. Ind. Impf. [*cuidoient* 18717]. p. praes. [*cuidant* 484].

T.: Ind. praes. *cuide* 1601, 2113, [*cuidez* 4393. Ind. Impf. *cuidoye* 12346, 19969. p. praes. *cuidant* 1993. p. p. *cuidé* 3285, 24186. Fut. *cuideront* 6446]. cf. B. Meyer: Diss. p. 88. *cǫgitare* konnte nur *coydier* ergeben, anal. *vǫidons* (*ǫ* der unbetonten Silbe ⟩ *ǫ*) : *cǫidons* == *vuide* : *cuide*. Dann Ausgleich zugunsten der stammbetonten Formen. Ferner liegt analoge Stammabstufung vor in neufrz. *plier*, afrz. *ployer*.

43. *ployer*: 30866, O. 5512, 9277, 12625.

P.: Konj. praes. *ploie* 14628, 31844, p. p. *ployé* 1633, 28567.

O.: Konj. praes. *ploye* 8736, *deployez* 4927. p. p. *deployée* 13628. In unseren Texten sind nur die organischen Formen zu finden (*deployer* auch neufrz. organisch). *plier* neufrz. ist in Analogie nach *pręcare* ⟩ *preier*, *proyer*, *pręco* ⟩ *pręi* ⟩ *prięi* ⟩ *pri* und danach ausgeglichenes *prier* gebildet. Erst bildete man ein *pli*, *ployer* und später mit Ausgleich *plier*.

Daß sich die ursprünglich durch den Akzent bedingte Differenzierung starker und schwacher Formen mit Vokalausfall äußert, finden wir in unseren Texten bei

8*

44. *manger*:

P.: Ind. praes. *je mangue* 6774, *il mengue* 29820, 31418, *mengons* 702, *mengez* 31156, *manguent* 7950. Imper. *mengue* 29820, *mengez* 31156. Ind. Impf. *je mengoye* 690. Konj. Impf. *mangeusse* 16648, 17970, *mangussent* 7950, 12242. In P. ist keine unorganische Form zu verzeichnen.

O.: Ind. praes. *mengez* 20331.

T.: Ind. praes. *mangue* 4018 [*mange* 20550, *mengent* 7671]. Imper. *mangez* 2741. Ind. Impf. *mangiez* 2746. Konj. Impf. *mangeusse* 17970.

In ähnlicher Weise ist auch die jüngere Stammabstufung entstanden, die nicht den Stammvokal verändert, sondern die Zahl der Silben, in den beiden Verben:

45. [*arreter* T. 4818], *arster* 4821.

P.: Ind. praes. *arreste* 6302, *arrestes* 21940. p. p. [*arrestée* 6603], *arté* 7788. Fut. [*arresteray* 6993, 12283. *arrestera* 3539, 5468, *arresterons* 1013, 6414].

T.: Imper. *arreste* 1027, 1733 [*arrestez* 358, 493, 1723]. Perf. [*arrestay* 1512]. Fut. [*arresteray* 6701, *arresteront* 4794], *arteray* 7591. In vielen Fällen hat schon wieder Stammausgleichung stattgefunden.

46. [*courrousser* P. 7191], *courser* T. 17525.

P.: Ind. Impf. *coursoit* 23774. p. p. [*courroucé* 13825, 32483].

T.: Ind. praes. *coursez* 17729, [*courroucez* 1859, 16325]. Imper. [*courroucez* 2680, 16647, 23209]. Ind. Impf. *courseroye* 17949, 24534, p. p. *coursé* 796, 13273, 8252, 10970, 11003, 25972, daneben [*couroucée* 12793]. Auch in diesem Verbum ist schon vielfach wieder Ausgleich eingetreten.

Ergebnis: Es finden sich unter den 40 stammabstufenden Verben 20 mit einem Ausgleich zugunsten der endbetonten Formen; es sind folgende Verben: *clamer, apparoir, declarer, savoir, esperer, peser, abrevier, achever, choir, crever, ferir, grever, lever, couvrir, honnorer, ouvrir, prouver, souffrir, courir, labourer*. Doch zeigen sich bei diesen Verben noch fast ebenso viel organische wie unorganische Formen. Zuweilen tritt auch in denselben Verben die umgekehrte

Tendenz hervor, die endungsbetonten Formen den stammbetonten anzupassen, z. B. *repreuvant* T. 12127. Bei der
kleineren Zahl der Verba tragen die stammbetonten Formen
den Sieg davon, in unseren Texten sind hier vielfach noch
bis auf wenige Formen die alten organischen gebraucht,
doch ist die Ausgleichstendenz schon deutlich erkennbar.
Es sind zum großen Teile Verben, denen ein Substantiv
zur Seite steht, das den Ausgleich erleichtert hat, so z. B.
bei den Verben *demeurer, appuyer, ennuyer, pleurer, peiner*
die Substantiva *demeure, appui, ennui, pleur, peine.*

§ 93. Der konsonantische Stammauslaut im
Praesens und den davon abgeleiteten Zeiten.

Verba mit stammauslautender Gutturalis.

1. *dire*:

P.: Ind. praes. *dient* 4694, 5453, 6110, 6287, 7248,
disons 6188, 29696, *desdisons* 3224 [*dyons* 22889] ist entstanden durch Ausgleichung an *dient*. p. praes. *disant* 134,
10161, 14835. Konj. praes. *die* 1583, 2226, 11371, 11795,
12483, 13572, *dies* 20765, daneben [*dise* 7018, 11436], die
Formen mit *s* beruhen auf Analogie an *disant, disoie* usw.,
in denen *s* lautgesetzl. ist; „*die*" noch bei Racine und
Molière.

O.: Ind. praes. *dyons* 3919, 11545 [*disant* 16788, 17065,
19970]. Konj. praes. die 686, 524, 861, 1269, 1467, 4120,
5009, 2994, 7096, 9603, 9819, 10039, 17774, daneben [*contre-
dise* 14602], *diez* 2621, 9838.

T.: Ind. praes. *dient* 3779, 21837, 24246, Konj. praes.
die 13, 901, 1009, 1340, 1441, 1611, 1842, 12318, *desdiez*
3782, 22479, daneben [*disiez* 11880]. p. praes. *disons* 1120.
(cf. Risop p. 51 und Kirste p. 5 über das Nebeneinander-
bestehen der beiden Paradigmen mit und ohne *s*.)

2. *duire*:

P.: Konj. praes. *conduye* 5235, 9906, *duyent* 5825, daneben *deduisent* 12601].

O.: Ind. praes. [*conduisent* 11148], *conduisons* 11224.
In der 3. pers. plur. schon viel früher Formen mit *s* zu

finden als bei *dire*. cf. Kirsch p. 13. Konj. praes. *conduie* 534, 8508, 16768, daneben [*conduise* 1132, *duise* 6197]. cf. Risop p. 53: Der Grund für die schnellere Verbreitung der *s*-Formen in *duire* liegt in den Perfektformen.

T.: Ind. praes. *duisons* 5764, 9360 [*induisent* 8819]. Konj. praes. *conduie* 10368, 12976, 7356, 9929 [*conduisent* 8815]. p. praes. *duisans* 101, 2173, 5127, 5609, 5764, 9360·

3. *faire*:

P.: Perf. *faisist* 20240, 22411 (A, hingegen B, C = *fist*), Übertragung des Praesensstammes *fais-* auf das Perfekt.

T.: Ind. Impf. *fasoient* 8838 (*faciebam*, *fassoie* lautgesetzlich wie *glacia* > *glace*, vielleicht können wir daher in *fasoient* eine reguläre Form erblicken, die sich lautgesetzlich < lat. *faciebant* entwickelt hat, allerdings müßten wir dann die Schreibung *s* für *ss* annehmen. Diese Schreibung macht es wahrscheinlicher, daß wir es mit einer dialektischen Eigenart zu tun haben, in der *fasoient* für *faisoient* steht, wie denn im lothring., wallon. *ai* vor Kons. > *a* wird (cf. Vokalismus § 5, 1 b und § 25, 1 c).

4. *cuire*:

P.: Ind. praes. [*cuisent* 18177] anal. *cuisons* usw.

5. *caindre*:

T.: Ind. praes. [*caindons* 7031], Übertragung des *d* aus dem Infin., sonst hat T. immer nur *gn*-Formen aufzuweisen.

6. *craindre*:

P.: Konj. Impf. *craignisse* 9615 (C. *craindisse* = nordöstliche Form).

7. *faindre*:

P.: Ind. praes. *faignez* 26934, 20868, daneben [*faindez* 14623]. Imper. *faing* 6841.

O.: Praes. Ind. *faignez* 13057, 13886.

T.: Praes. Ind. *faignez* 15637, 21896. p. praes. *faignant* 20166. O. und T. weisen nur *gn*-Formen auf, das in P. vorkommende *d* in *faindez* ist aus dem Inf. übertragen.

8. *fraindre* ⟨ *frangere* T. 2644, 4378, 5471, 20368:

P.: Ind. praes. [*reffraindez* 30468].

T.: Ind. praes. *reffraignez* 16934, 26899, 27140. Fut. *reffraindray* 27221.

9. *joindre*:

P.: Perf. [*joignist* 16473], der Präsensstamm ist hier auf das Perf. übertragen.

O.: Fut. [*joingneront* 10828].

T.: *joignoit* 112 [Prol.].

10. *plaindre*:

P.: Ind. praes. *plaignons* 28654, *plaignez* 3289, daneben [*plaindez* 30939], *plaignent* 11121, daneben [*plaindent* 13237]. Ind. Impf. *plaignoit* 2522, daneben [*plaindoit* 5039, *plaindoient* 59]. Perf. [*plaindirent* 1308], *d* anal. nach Inf.; Meyer-L.: Histor. frz. Gram. I § 314: Mundartlich wird der Stamm des Infin.'s für die ganze Flexion zugrunde gelegt, also 1. plur. *plaindons*. Von Vaugelas getadelt; Nyrop II § 39: *d*-Formen kommen besonders im wallon. vor, sie greifen auch in andere Dialekte über. Formen seit XVI. s. seltener. Die Formen mit *-gn* werden verallgemeinert und sie dringen durch.

O.: Konj. praes. *que je plange* (: *estrange*) 13684, vielleicht haben wir hierin die alte lautgesetzl. Form *plangam* ⟩ *plange* erhalten.

11. *sourdre*:

P.: Konj. praes. [*sourde* 18648, *sordent* 15670, 20507, 30280], *d* anal. nach Inf. statt *sourge* ⟨ *surgam*.

T.: Konj. praes. [*sourde* 5752].

Verba mit stammauslautender Labialis.

Hierher gehören:

12. *devoir*:

P.: Ind. praes. *devons* 323, *devez* 317, *doivent* 1952, 3411, 3677, also nur lautgesetzl. Formen. Konj. praes. *doye* 1862, 5045, 24186, 10345, 15702, 26552 (anal. Indikat.), daneben *doive* ⟨ *debam* 7998, 8860, 11836, 16549, 16822, 16898, 22495, *doyons* 5215, *doyez* 1354, 2211, 16556.

O.: Konj. praes. *doye* 668, 8809, 16122, daneben *doive* 428, 1896, 19105, *doyons* 13737, auch *devions* 14445, *doyez* 16730, *doyent* 15660, daneben *doivent* 19987, 15680. Ind. praes. *devez* 19562, *doivent* 21678.

T.: Konj. praes. *doye* 123, 382, 1228, 11935, 13229, 12747, 13361, 15086, 15851, 21289, daneben [*doive* 2320, 12025, 16734, *doivent* 4990]. Die alten *v*-losen Formen überwiegen.

13. *soudre* ⟨ *solvere.*

P.: Ind. praes. [*absouls* 20460], (lautgesetzlich *solvo* ⟩ *solf.*) cf. Schwan-B. § 402.

O.: Konj. praes. [*absoille* 11051].

14. *pooir* T. 19629, *povoir* T. 275, 2331, 1908, *poir* T. 5469, nordostfrz. Form (cf. Nyrop II § 75, 2: neben *-oir* ein *-ir* in den 3 Verben *seïr*, *veïr*, *cheïr*, besonders verbreitet in „le Vermandois, la Flandre, le Hainaut, le Liégeois", aber sie kommen auch vor in la „Franche Comté" und in „l'Isle de France"); mit diesen angeführten Formen ist *poïr* vergleichbar.

P.: Ind. praes. *poons* 125, 1688, 5251, 5865, 10783, 14857, 15892, 16672, 18777, 21368, 24316, [*povons* 632, 2008, 3666, 5650, 6546, 8266 10999, 28945, *pouvons* 6281, 8266 usw.], *v* anal nach *movons*; *poez* 1894, 2571, 19431, 18830, 26430, 16587, daneben [*povez* 1083, 3398, 3417, 5868, 6073, 10783, 16092, 21368]; *peuvent* 12318, 18425, 19574, 23714, daneben findet sich ein [*peulent* 31330 anal. nach *veulent*] nach Behrens: Frz. Studien III. besonders charakteristisch für die östl. Mundarten. *peult* und *peulent* haben sich bis in das XVI. s. erhalten, cf. Kirsch, p. 60 zit. Palsgrave: tu peulx und ils peuslent whiche I wolde nat use; daneben [*peuent* (anal. *sevent*) 16265, 18425, 19572, 23714, 24767 (B, C, dagegen A = *pourront*), 26418, 27468, 28777]. Konj. praes. *puist* 463, 654, 1499, 1515, 1590, 24842 (cf. Kirste p. 83). Ind. Impf. *pooit* 25, 28, 30, 33, 43, [*povoit* 70, 6806, 12023], *pooient* 84, 143, 150, [*povoient* 8925].

O.: Ind. praes. [*povez* 6039, 10750], [*peuent* (anal. *sevent* ⟨ *sapunt*) 5775, 8639, 11878, 12315, 13383, 15072, 15328,

19047], [*povent* 7222, anal. nach *povons*]. In O. kommen nur *v*-Formen vor.

Bemerkung: Fut. findet sich 2 mal in der Form von *poirons* 43, 169, die in Anlehnung an das Inf. *poir* gebildet ist. Sonst ist es immer regelmäßig in allen 3 Texten.

T.: Ind. praes. 24298, 24340, 24880, 28836, *poons* 18315 19031, 24293, 28656, daneben [*povons* 1180, 8425, 18132, 22891]; [*povez* 3839, 5072, 23858], [*peuent* 2605, 2783, 5521, 5845, 6842, 16012, 18985, 21723, 24306, 27055]. cf. Nyrop II § 126, zit. Pelletier: les uns disent peuvent, les autres pevent, et encore les autres peulent. (cf. Vok. § 3, 8), *puent* (wohl für d. alte lautgesetzl. *pueent* ⟨ *potent*) 2381, 6190, 15583, cf. Kirsch p. 59: die Form *puent* ist durch Verkennung des Stammauslauts entstanden; wie man ein *po-ons*, *po-ez* hatte mit dem Stamme *po-* und der Endung *-ons*, *-ez*, so glaubte man auch, daß *pu-* der Stamm und *-ent* die Endung in *puent* seien. Konj. praes. *puist* 10213, 15169. 19166. Ind. Impf. [*povoit* 61 (Prol.), 23330 u. ö., *povoie* 2199, 20619].

Anm.: *Si vrag le puissay-je savoir* P. 5996 dürfte ein Beweis dafür sein, daß wir bereits ein volles silbenbildendes betontes *e* bei Nachstellung des Pronomens in der 1. sg. haben, ein Vorgang, der ja im XVI. s. allgemein eintritt. cf. Meyer-L.: Hist. frz. Gr. § 344: Ausgangspunkt die Verba vom Typus *tremble je*, wo nach Verstummen des *-e* das vorletzte *e* vor *j* volltonig wurde.

15. *prendre*:

P.: Konj. praes. [*preigne* 16038, 22781, 24006, *prengne* 8292, 13792, 18517, 22866, *prengnent* 4550], cf. Nyrop II 139, 9; Meyer-L.: Hist. fz. Gram. I p. 224, § 311, 314: Den Verben auf *-aindre* folgt i. d. Konjunktivbildung *prendre*: *pregne*, erst seit dem 16. s. *prenne* dafür; Thomas Corneille: beaucoup de femmes disent emore preigne pour prenne; qu'il prende 1077, 5160, 10814, 27369, 27735, 31731 (lautges., in alter Zeit abwechselnd mit *pregne* gebraucht, dann *prengne* mehr und mehr verwendet; *prende* wird verdrängt und *prenne* tritt an Stelle von *pregne*. Imper. *pren* 1814, 4315, 19639, Formen mit *s* oder ohne *s* schwanken noch im 16. und 17. s. cf. Nyrop II § 153: Ramus schreibt alle Imper.

ohne -*s*, Vaugelas (Remarques I, 319—322) läßt nur *voy*, *connoy*, *tien*, *vien*, *fuy* ohne -*s* alle anderen *s*-losen Imperative mißbilligt er.

Anm.: Einmal kommt die Futurform P. *prenrons* 4401 vor, die dialekt. ist, denn pik. und wallon. fehlt Gleitlaut zwischen *n* und *r*.

O.: Konj. praes. [*preigne* 5619, 10705, 14098, *preignent* 1032, 2520, 4775, *prengne* 8253, *preignez* 7614, 9072, 13715, *que nous pragnions* 12672]; daneben findet sich einmal die lautgesetzliche Form *qu'il prende* 3984.

T.: Konj. praes. [*preigne* 10786, 13032, 16959, 23957, 27081, *prengne* 3479, *preignez* 14465, *preignent* 6655, 10537]. In T. ist kein einzigesmal die lautgesetzliche Form *prende* zu verzeichnen. Die Formen *prenne* usw. finden sich in unseren Texten noch nicht.

16. *clore*:

P.: P. praes. *cloant* 4703 ist die ursprüngliche Form. (Über spätere Formen mit *s*, cf. Kirsch p. 79).

Verba mit stammauslautendem Nasal.

17. *venir*:

P.: Konj. praes. *viengnes* 568, *viengne* 12124, 19772, 27728, *viengnez* 26832; daneben zuweilen [*vienne* 13624 usw.], die Form *viengne* ist aber noch die gebräuchliche.

O.: Konj. praes. *viengne* 7929, *viengnez* 13823, *veignez* 182, 8037, 9821, *conveignent* 3147 (cf. Schwan-B. § 385 Anm.), *viengnent* 13809, *souvieignent* 2523. Nyrop II § 144: Vaugelas „C'est une faute familière aux courtisans, hommes et femmes de dire „vieigne" pour „vienne"; *vienne* seit 14. s. belegt. Auch in unserem Texte kommt *vienne* vor, jedoch nur einige Male, z. B. [*viennent* 8503, 14376]. Daneben findet sich [*viengent* 13813], diese Formen sind in Orleans, Maine usw. sehr beliebt. Anpassung an Konj. mit -*ge*, in denen dieses -*ge* lautgesetzlich ist: *surgam* > *sorge* usw., das -*g* wurde vom Stamme getrennt und -*ge* als Konjunktivendung angesehen.

T.: Konj. praes. [*veigne* 18302, *souveigne* 3675, 5336, 8051, 11459, 19762, 20831, 25044, *veignez* 3246].

Dieselben Formen sind bei *tenir* vertreten, z. B. *tiengnes* P. 569, *tiengne* 4366, 5277, 15370 usw.

Verba mit stammauslautendem *l*.

18. *voloir*.

P.: Ind. praes. *je veuil* 3337, 4078, 4932, 4540, 6907, 10649, 21439, 28037, *je veil* 408, 568, 680, 753, 1208, 8111, 8426, 21028 (cf. Vokalismus § 11, 5), *veult* 988, 2133, 4128, 5374, 6466, *volons* 263, *voulons* 484, 490, 6457, *voulez* 8421, *vuellent* 6265, 17227, 22044, *vueullent* 1674. Konj. praes. *veille* 1541, 10469, 17984, 22434, *veuillons* 1640, 15636, *vueillez* 214, 315, 14566, *veilliez* 5185, 16290 (in Anal. an den sg.). p. praes. *veillant* 9574, *vueillans* 3672, das mouillierte *l* ist früh eingedrungen.

O.: Ind. praes. *veuil* 203, 257, 522, 911, 1431, 1504, 4067, 6291, 7152, 17309, *je veil* 15274, 17295 [*je veul* 20, 106 ⟩ 345, 2158, 9665], cf. Vokalismus § 11, 4: dial. *l* ⟩ *l*; wenn es keine dialektische Eigenart ist, so ist es eine Angleichung an die 2. und 3. sg.; *vieu ge* 18847, *il vieult* 479, 1553, 5584, 7064. Angleichung von *veut* an *sieut*, beide sind Modalverben. Konj. praes. *veille* 397, 269, 276, 7374, [*vuellions* 3812], *veillez* 4025, 6001, 7619, 15181, 16727, 17444 [*veulliez* 70, 246]. *vuillez* 13202 (cf. Vokalismus § 33, 3) [*viellez* 3269], (cf. Nyrop II § 142, 2).

T.: Ind. praes. *je veuil* 928, 2034, 2145, 2343, 4503, 7779, 14400, 20164, 24047, 24180, 24244, 25223, *je veil* 225 (Prol.), 428, 516, 768, 15426 [*je veul* 25992]. Konj. praes. *veille* 197, 249, 25245, [*vuelles* 3507], *l* statt *l* ist aus dem Praesens übertragen, cf. Kirsch p. 81, *veillez* 5863, 13533, 19559, 21846, 25303, 25620, *veillent* 21299.

19. *falloir, faillir* O. 5966, T. 1653, 14503.

P.: Ind. praes. [*je faulx* 7321, 17328, 21788, 25472], *faillent* 31014. Konj. praes. *je fail* 16320. Ind. Impf. *il falloit* 2306, 29271 [*failloit*] 12459, 17650. p. p. [*failly* 3985, 8692, 11392], *fallu* 6876, 11392, 12346, 31014 (das mouillierte *l* ist aus dem Konj. in die anderen Formen eingedrungen).

O.: Ind. praes. *je fault* 15758 (anal. nach der 2. und 3. pers. für lautgesetzl. *fail*), *faillez* 15142, *faillons* 7831. Konj. praes. *failliez* 5573, 8343. Ind. Impf. *failloit* 5725.

T.: Ind. praes. [*faillons* 2324, *faillez* 5754, 7344, 14462].
Konj. praes. *faille* 3143, 13365. Ind. Impf. [*failloit* 151,
13480, 18614, 18245]. p. p. [*failly* 1658, 3089, 6244, 6532,
8322, *faillu* 3194, 15951].

20. *chaloir*:

P.: Ind. praes. *ne te chault* 19637. Konj. praes. *que ne
vous en chaille* 18550, 21340, 23522.
O.: Konj. praes. *chaille* 16469, 11819, 2032.
T.: Konj. praes. *chaille* 13945, 19715. Ind. Impf. [*chail-
loit* 13374].

21. *saillir*:

P.: Ind. Impf. [*sailloit* 49]. p. praes. *assallant* 16686,
sonst stets [*saillaut* 16737, 17768] usw.

22. *bouillir*.

T.: p. p. *boulue* 16240.
Was den stammbetonten Konsonanten im Praesens betrifft, so zeigt auch er noch viele Abweichungen vom heutigen Standpunkt der fz. Sprache; vielfach findet sich Übertragung des stammauslaut. Kons. im Praesens und den
davon abgeleiteten Zeiten, wo sich lautgesetzlich im altfz.
Verschiedenheit im Stammauslaut entwickeln mußte; daneben existieren noch viele alte lautgesetzl. Formen, wie
vorhergehende Untersuchung ergeben hat.

§ 94. Schwache Verba mit verschiedener Stammesgestaltung (nicht stammabstufend).

I. Konjugation.

acheter, rachater O. 3774:

P.: Ind. praes. *rachates* 26300, (cf. Nyrop I § 169;
Vokalismus § 25).

aller:

P.: Ind. praes. *je vois* (*vado* + *is*) 1613, 4333, 14907,
19480, 19639, 23172, 26490, 31877 (16. s. *vois* durch *vais*
ersetzt anal. n. *fais*). Konj. praes. *voise* 4455, 4794, 12473,
24275, 31856, *voist* 4836, 9191, 19376, 19724, 20439, 25629,

29279, *voisent* 27312, 30191 (Konj. anal. n. praes. Ind.), daneben auch *alliez* 6811, *allions* usw.

O.: Ind. praes. *je vois* 490, 3665, 16081, 18362. Konj. praes. *voise* 380, 2212, 2443, 2511, 2761, 5621, 7032, 9055, 9393, 9670, 10991, 12206, *voist* 2063, 2702; daneben *aillions* 117, 1090, 1201, 1404, 3677, 11264, 12113, 16810, 19931, *que vous aillez* 140, 168, 860, 994, 7621, 12012, 15027, aber auch *voisions* 11588, *voisent* 6161, 9615, 11269.

T.: Ind. praes. *je vois* 104, 148, 2119, 11418, 2505, 7826, 14234, 15828. Konj. praes. *voise* 828, 2909, 7734, 12941, 23748, 25538.

doner:

P.: Ind. praes. *je don* 18642. Konj. praes. *doint* 217, 297, 1410, 5366, 4017, 5148, 8071, 9920.

O.: *doint* 320, *dont* 15036, 6737, 7380, 7571, 10074.

T.: Konj. praes. 868, 1893, 2455, 15147, 26037. (Der Konj. steht hier stets in Redewendungen cf. § 90, Konjunktiv I.)

envoyer:

P.: Konj. praes. *envoist* 20930. Fut. *envoyerai* 21516, 32976, *envoira* 12928, 33761, *envoirons* 17185, 30269, 33282, *envoyrez* 8096. Kond. *envoyroit* 11272, *envoyroie* 22324.

O.: Ind. praes. *envoye* 3513, 4020, 10000. Fut. *envoyeray* 3764, *envoyera* 4942, *envoyrons* 5796, 7436, *envoyerez* 2814.

T.: Fut. *envoyeray* 3858, 4160, *envoyera* 883, *envoyerez* 3846. Die Futurbildung *enverrai* erfolgte analog n. *verrai*, damals wurde auch *voirai* noch oft gebraucht, weshalb *enverrai* noch nicht durchgeführt war.

II. Konjugation.

fleurir, flourir: p. p. *flouris* P. 12230.

P.: *fleurie* 4144, 23928.

T.: Impf. *fleuroit* 24817, *fleuroient* 24786. p. praes. *fleurant* 10, 12. p. p. *flouriz* 23754, *fleurie* 5205, 5497, 8144, 8873, 24482. *flourir* hat als inchoatives Verb nur endungsbetonte Formen und dürfte nur *ou* haben, *eu* ist anal. n. d. subst. *fleur* und dem Postnominal *fleurer*, cf. B. Meyer, Diss. p. 92.

fuyr, fouyr ⟨ *fûgire* für klass. *fugere.*

P.: Ind. praes. *tu fuys* 26378, *reffuit* 18725. Konj. praes. *fuye* 1479. Imper. *fuyons* 19231, *fuyez* 11879, 24312. Fut. *fuyront* 18345. p. p. *fouy* 18598. Diese Formen sind vom Perfektstamm beeinflußt: *fûgi* ⟩ *fui*, regulär lauteten sie *fouys* usw.

T.: Infin. *fouyr* 10178, 11140, 13186, 13912, 20379, 26775, *enfouir* 15971. Konj. praes. *fuye* 13674.

ouyr:

P.: Ind. praes. *j'oys* 2782, 9719, *oyons* 9254, 12150, 26035, 30906, *oyez* 657, 17753, 29181, *oyent* 12790, 30010, daneben Formen: *j'os* 10966, 11471, 12246, 13143, 13847, 16341, 17168, 23088, 23100, 33828, *oez* 918, 4351, 6283, 8662, 12296, *ouez* 4351, 11664, 15567, 18050, *oant* 12792. Die letzteren Formen sind die lautgesetzlichen. Zwei Praesensparadigmen, ein organ. und ein unorgan., welch letzteres sich in der ersten pers. von den übrigen organ. Personen beeinflußt zeigt, während die anderen Personen von der organischen 1. pers. die Stammgestaltung entnommen haben. Zur Entstehung von dieser Doppelgestaltung hat das Begriffspendant *voir* beigetragen: *voy - oy, voyons - oyons.* Fut. *orray* 31558, *orras* 5487, *orra* 16010, 26441, *orrons* 1369, 6468, 9732, *orrez* 4790, 6074, 10717, 12708, 22555, 28754, 30290, *orront* 15204, 27374. Kond. *orroit* 21830 (reguläre Form).

O.: Ind. praes. *il oyt* 11292, *oyez* 6285, 13260, 19271, *oyent* 8511. Fut. *orrez* 9970, 19338, aber *oyrrez* 9963, 11304, 14308.

T.: Ind. praes. *oyez* 2024, 25505. Fut. *j'orray* 3794, *orras* 1823, *orrons* 31938, 23774, daneben *oyrrez* 967, 1020, 8224, 11304. p. praes. *oyant* 27142.

tollir P. 14808, O. 3902, T. 864:

P. Ind. praes. *tolt* 3704, 21851, 27900, 30382. Konj. praes. *tolle* 27012. Perf. *tollistes* 29475. p. p. *tollu* 15626, 27046. Fut. *tollera* 3774 (B; A = *emportera*, C = *soulera*), *toldront* 14684.

O.: Ind. praes. *toult* 9973. p. p. *tollu* 8743.

T.: p. p. *tollu* 2355, 3250, 4811.

yssir:

P.: Ind. praes. *yst* 30032, *yssez* 11719. Fut. *ystera* 6437, 27413, *ysterons* 1747, *ysteront* 3916 (anal. *ysterai* ein Inf. *ystre* gebildet). p. praes. *yssant* 30116. p. p. *yssus* 11494, 13060, 19204, 30159.

O.: Ind. praes. *issent* 484, 30116. Konj. Impf. *ysist* 12090. Fut. *ysterons* 3537.

saillir, assaillir:

P.: Fut. *assauldra* 127, 1113.

T.: Fut. *sauldray* 13240, *assauldray* 10143, *sauldra* 15895, *assauldra* 8374, *assauldrons* 2359, 15699. (cf. Nyrop II § 214 u. § 215, 8.)

§ 95. Starke Verba.

I. Perfekta.

1. Klasse: *i*-Perfekta.

1. *veoir.*

P.: Perf. *vy* 4452, *vey* 24623, *veis* 5292, 8761, 19672, *vis* 8670, 9417, *vit* 5176, *veystes* 6510, 9964, 25886, 31271, *ve\ystes* 8390, *virent* 8941. Konj. Impf. *vist* 16602, *veissions* 19353.

O.: Perf. *viz* 10511, *vis* 2419, 2873, *vey* 8469, *veis* 17, 51, 95 usw., *veiz* 118. Konj. Impf. *veisse* 2420, *veissiez* 2345, *proveust* 4948 (*ui*-Bildung im Perf. ging vom p. p. aus, cf. Dietz, Diss. p. 58).

T.: Perf. *vey* 8469, *veistes* 2927, 9833. Konj. Impf. *veisse* 11587, 17964, 22314, *veist* 15836, *veissiez* 15277, *veissent* 26057. *ei* statt *i* in den stammbetonten Formen anal. n. endungsbetonten Formen, in welchen Hiatus-*e* zur Zeit unserer Texte verstummte.

tenir, venir:

P.: Perf. *vint* 11, 1090, 10812, *tint* 1095, *venismes* 9988, *convenismes* 16889, *vindrent* 9830, 8910, 16867, 17035, 21195,

33501, *vendrent* 9993, *tindrent* 1320. Kon:. Impf. *tenisses* 5918, *venist* 73, 2056, 3029, 8866, 12020, 21059, 24635, 25614, 28839, *tenist* 21060, 33093, *tenissons* 3114, aber auch *advensous* 33825 (anal. *si*-Perf.), *tenissiez* 33092, *venissent* 17107, 27563, 27690, *vinssent* 27563. p. p. *venue* 9699, 11254, 12034, 14973, *tenu* 1095.

O.: Perf. *vindrent* 14046, 19823, 19836. Konj. Impf. *vensist* 2661, 10264, 20442, *advensist* 11976, *tansist* 12979, *tensisions* 3028.

T.: Perf. *vindrent* 353, 7920. Konj. Impf. *venist* 17679, *venissions* 8122, *venissiez* 2880. Die zusammengezogenen Formen *vins*, *vînmes*, *vîntes* für *venis*, *venimes*, *venistes* finden sich nicht in unseren Texten.

2. Klasse. *si*-Perfekta.

(cf. Czischke: Die Perfektbildung der starken Verba der *si*-Klasse im Franz. (XI.—XVI. Jahrhundert). Diss. Greifswald und E. Dietz: Zur Geschichte der franz. *si*- und *i*-Perfekta nach Texten des 14. und 15. Jahrhunderts. Diss. Heidelberg.)

ardre:

P.: Perf. *j'ars* 17352, 26338, *il art* 7393, 22938, aber auch *ardy* 20852 (das starke *si*-Perf. wurde im 14. u. 15. Jahrhundert durch ein schwaches ersetzt). p. p. *ars* 11277, 26425, *ardue* 333, 841.

T.: p. p. *arse* 11, 390, 6517, 11168, 19185, 23360, 25221, 27104, *ars* 15655.

dire:

P.: Perf. *diz* 32854, *dist* 6105, 8898, 100. Konj. Impf. *desissions* 30242 ist alter Konj., *dixis* ⟩ *deissis* ⟩ *desis* anal. *mesis*; *dissions* anal. *dis*, cf. Nyrop II § 202, 182; sonst schon immer *dissions* usw.

T.: Perf. *deist* 18224, daneben *dist* 174, 182, *dirent* 1109. Konj. Impf. *que je deisse* 18913, *que vous dissiez* 18451 usw.

duire:

P.: Perf. *duyst* 2347, 2670, *seduist* 2669, *introduist* 2331. p. p. *duit* 1379.

faire:

P.: Perf. *je fis* 1427, 22645, 25033, *feiz* 8689, 11365, *fist* 113, 771, 4109, 7269, *fit* 955, 22201, *faisist* 20240, 22411 (Anpassung an sw. *si*-Perf. mit Praesensstamm gebildet), *feismes* 9984, 32675, *feistes* 8069, 15755, 29474, *firent* 1307, 8537, 8542, 8683. Konj. Impf. *fist* 16527, *feissions* 7267, *feissiez* 21303, *feïssiez* 21303 (A *feissiez*).

O.: Perf. *fist* 7326, 19567, *fisent* 17221 (ostfrz. Form, oder es ist *s* für *r* geschrieben worden, über *r* > *s* cf. Konsonantismus § 49, 4), *feirent* 3825, *firent* 2884, 7229, 14790, 17254, 19165. Konj. Impf. *fisse* 19027, 19044, *feissiez* 1042, 6312, 6432, 9786, *fissiez* 2344.

T.: Perf. *feiz* 14307, 16805, 19785, 25048, *fist* 3291, 14968, 18127, 19252, 19940, *feist* 2555, 23062, *feismes* 21146, *feistes* 19950, *firent* 3653, 5337, 5533, 23044, 26744. Konj. Impf. *feist* 17196, 23022, *fist* 482, 9716, 10335, 14968, *feissions* 18943. Das *e* ist mit einer Ausnahme in P. schon überall stumm im Perfekt.

mettre:

P.: Perf. *soubmist* 13, 949, 2550, 5319, 6104, *meistes* 11310, *mirent* 8945. Konj. Impf. *mist* 31068, 34308.

T.: Perf. *mist* 11972, *promeistes* 19945, *misdrent* 23, *promisdrent* 8120, *mirent* 6245, 4823, 17118, 27491, 28224. Konj. Impf. *meist* 21169, *mist* 62, 27589.

plaindre:

P.: Perf. *plaindirent* 1308, sonst *plaignis* usw. (Übertragung des Praesensstammes auf d. Perf., cf. stammausl. Kons. i. Prs. § 93.)

prendre:

P.: Perf. *print* 20060, 27531, *prindent* 8911, 17055, 17124, 30601, *prindrent* 17055, 17122, 17124, 30601, anal. *tindrent*, *soupridrent* 30726 A. p. p. *prins* 1171, 1626, 27891, 27937, *prinse* 8666, 4368, 14490, sonst *pris* wie im neufrz. Über das epenthet. *n* cf. E. Dietz, Diss. p. 65 ff.

O.: p. p. *prinse* 6139, sonst nur *n*-lose Formen wie im neufrz., *entreprisent* 13428 (entweder ostfrz. Form oder *s* für *r*, cf. *fisent*).

9

T.: Perf. *prins* 25, 6237 usw., *print* 15103, *prinstes*
16758, *prindrent* 17521. Konj. Impf. *prinsse* 15346, *prinssent*
31, 1618. Im Perf. und Konj. nur Formen mit *n*. p. p·
prinse 1861, 19223, aber auch *pris* 3176 usw. *n* ist nur
Einfluß des lat. Schriftbildes, cf. Reime mit *i*: Vokalismus
§ 2, 1; Czischke p. 38: *n* = Einfluß des lat. Vorbildes,
cf. Berta Meyer, Diss. p. 97, die Reime von *prinse*:*province*
anführt und deshalb auf eine Aussprache ị schließt. In
unseren Texten nur Reime mit oralem *i* (eine Ausnahme
cf. Vokal. § 2), weshalb wir für die Aussprache wohl orales
i annehmen müssen, das *n* nur im Schriftbild ist.

3. Klasse. *ui*-Perfekta.

avoir:

P.: Perf. *ot* 74, 981, 2301, 8652, 15858, 18852, 18857,
24558, 33515, *orent* 9571, 19027, 27534, *eustes* 3794 usw.
Konj. Impf. *eust* 1294, 8590, 8600, 9261, *eussent* 1296.

O.: Perf. *eustes* 2140. Konj. Impf. *eust* 3169, *euist* 816.
T.: Perf. *ot* 162, 4329.

chaloir:

P.: Konj. Impf. *chausist* 25614 (Anpassung an *si*-Perf.).

devoir:

P.: Perf. *deubt* 14813. Konj. Imperf. *deust* 3952, 12634,
25869, 30874, 31023, *deussions* 16693, 18060, *deussiez* 10414,
14939, *deussent* 1232, daneben Formen mit Anpassung an
d. sw. *si*-Perf., *deusisse* 4976, *deusist* 9448, 25890, 14939,
sie sind nur an diesen Stellen belegbar. p. p. *deue* 3101,
5769, 8589.

O.: Konj. Impf. *deusse* 3459, *deussions* 642, 8504.
T.: Konj. Impf. *deust* 15901, 26578, *deussiez* 806, *deussez*
26835. In O. und T. kommen keine *si*-Formen vor.

falloir:

P.: Perf. *fallut* 6376 usw. Konj. Imperf. *faulsist* 15537,
15961, 25054. Die sigmat. Bildung anal. nach *vouloir*. p·
p. *faillie* 8472, *fallee* 28741.

O.: Konj. Impf. *faulsist* 10289, 10649.

T.: Konj. Impf. *faulsist* 12676, 26637. p. p. *faillu* 3194, 15951.

plaire:

P.: Perf. *pleut* 14359. Konj. Imperf. *pleust* 1887, 8382 usw., *pleusist* 34265 (C *pleust*), einmal findet sich nur die sw. *si*-Bildung.

O : Konj. Impf. *plust* 14436. p. p. *pleu* 3.

povoir:

P.: Perf. *peut* 14976, *peustes* 10025, 20063 usw. Konj. Impf. *peusse* 25613, *peust* 38, 72, 244, 3018, 8766, 9412, 11746, 12635, 25481, 25870, nur reguläre Form finden sich in P.

O.: Konj. Impf. *peust* 1572, 7129.

T.: Konj. Impf. *peust* 875, 3393, 20098, 24063, daneben findet sich einmal *peusist* 17914; *peussiez* 24501.

savoir:

P.: Perf. *scut* 12098, 24503 usw. Konj. Impf. *sceusse* 9355, 10460, 13144, *sceust* 2916, 7246, 17203, 24611, 24725, daneben *sceusisse* 12448, *sceusist* 5843, 6843, 8303, 26871, 33881, *sceusses* 12448, *sceussiez* 18827. p. p. *sceu* 6291, 7144, 7449 usw.

O.: Perf. *scut* 8960, 13584 usw. p. p. *sceu* 30760.

T.: Konj. Impf. *sceust* 21537; p. p. *sceu* 14682, 14912. In O. und T. kommen keine *si*-Bildungen vor.

valoir:

Valoir das im Perfekt und Partic. nur *ui*-Formen aufweist, wie *valus* P. 1394, 28735 usw., zeigt im Konj. Imperf. nur *si*-Formen in allen 3 Texten:

P.: *vaulsist* 15961, 25054.

O.: *vaulsist* 6390, 6444, 8906, 8984, 9700, 10957, 12083.

T.: *vaulsist* 6547, 18617, 20470, 20473, 21367, 21667, *vausist* 15760, 26965, 23900. (cf. Czischke p. 48; Übertritt von *ui*-Perf. in *si*-Klasse.)

9*

voloir:

Ui- und *si*-Bildungen stehen nebeneinander:

P.: Perf. *volz* 32900, *voulz* 1754, 2467, 4115, *volt* 6, 12373, 31028, *voult* 116, 1841, 9572, 9848, 9954, 20368, *voust* 8272, 19988, 21135, *voustes* 2117, *voulstes* 2133, 21143, 17292, daneben *ui*-Formen: *voulus* 21028 u. ö., *voulut* 9770, 9946, 14259, *voulustes* 34525, 30240 (A, B = *voulsistes*, C *voulstes*). Konj. Imperf. *voulsisse* 20330, *voulsisses* 5917, *voulsist* 8565, 9741, 13420, 16429, 19289, *voulst* 17130, 17143, *voulsissez* 5426, 9649, *voulsissent* 27823, *vousissent* 15396, daneben *voulusse* 29479 usw.

Konj. Perf. *voudrent* 17225. Konj. Impf. *voulsist* 9351, 13342, *vousions* 9058, *voulsissent* 6007, 9684, *vousissent* 16738.

T.: Perf. *voulx* 17697, *voult* 586, daneben auch sw. *ui*-Formen: *voulu* 27349, 22576, *voulut* 25571, 26586. Konj. Impf. *voulsisse* 5791, 15291, 19565, 25682, *voulsist* 1438, 10687, 15347, *voulsissez* 5426, 17953, 18454, *voulsissent* 22917. Die Konjunktivformen weisen in allen 3 Texten nur die sigmat. Gestaltung auf. (cf. Dietz, Diss. p. 89/90.) p. p. *voulu* 9049.

So weichen auch die starken Perfekte noch vielfach vom neufrz. ab.

II. Futur- und Conditionnelformen, die vom neufrz. abweichen.

1. *asseoir*:

P.: *s'asserront* 12919 (lautgesetzl., neufrz. *assiéront* anal. n. Praesensstamm).

2. *avoir*:

P.: *j'aray* 4254, 5423, 6340, 9199, 9461, 9473, *aras* 9579, 10559, 17396, 22650, *ara* 8432, 15438, *arons* 9638, 10266, 16062, *aron* 15910, *arez* 2550, *aront* 3074, 12246, 18083, 25753; *j'aroye* 4526, 33874, *aroyes* 23116, *aroit* 20608, *arions* 8121, *ariez* 11507, *aroient* 28002 (*vr* 〉 *r* in Proklise).

O.: *j'aray* 2426, 16288, *arons* 9638, 2553, 2269, 3004, 6692, 8695, *arez* 67, 2798, 16262, *aront* 2290, 2718, 3045,

4328, 6067; *j'aroye* 15146, *aroit* 11998, *arions* 4865, 8091, 16202, *aroient* 5660.

T.: *j'aray* 3897, 8625, *arons* 4797, 12479, 22423, *arez* 12105; *aroit* 9139, *arions* 8121, *ariez* 10868.

3. *cheoir*:

P.: *cherra* 28070, *mescherra* 21684, *descherras* 21675 (bis in das XVII. s. gebraucht; neufrz. *choirai* ist mit dem Inf. gebildet).

O.: *cherra* 2483, *cherront* 5306.

T.: *cherra* 22119, 22200.

4. *faire*:

O.: *je fré* 16509, *fra* 7860, 19132, *fairon* 7501 (beeinflußt durch d. Inf. *faire*).

5. *povoir*:

P.: *porray* 14344, *porrez* 6244; *porroye* 4642, *pourriesmes* 21200 (Text, hingegen B, C = *pourrions*).

O.: *poirons* 49, 169 von dem Inf. *poir* abgeleitet, *poir* anal. n. *cheir*, *véir* usw.

6. *prendre*:

P.: *nous prenrons* 4401 (pic. und wallon. fehlt der Gleitlaut zwischen *n* und *r*).

7. *savoir*:

P.: *scaray* 5566, 10594, 23451, *scaras* 18024, 25785, *scara* 4522, 15265, 19732, 25817, *scarons* 8287, *scarez* 7215, 8102, 15528, 22773, *scaront* 6332, 24384; *je saroye* 2754, 9255, 9447, *scaroies* 19743, *scaroit* 7356, 8169, 18216, 22827, *scariez* 18636, *scaroient* 15789, 18257. (Über *savoir* und *avoir* cf. F. Holle: Diss. *avoir* und *savoir* in den afrz. Mundarten.)

O.: *scara* 2230, 15598, 2564, 25817, *scarons* 8361, 19776, *scarez* 8102; *sarais* 12887, *saroye* 5644, 7763, 8813, *scaroit* 7567, *saries* 7372.

T.: *scaray* 25622; *scaroit* 26954, 25097.

8. *vouloir*:

P.: *vouroient* 17109 (Pic. und wallon. fehlt der Gleitlaut zwischen den lat. Konsonantengruppen *l - r*, *n - r*, *m - l*
cf. Auc. und Nic. p. 68).

T.: *vourront* 26163.

Zusammenfassung: Überblicken wir noch einmal alle
Ergebnisse vorliegender Untersuchung, so zeigt es sich
daß sich in den 3 behandelten Texten viele Abweichungen
vom neufrz. finden, was Laut- und Formenlehre und Ortho-
grahie betrifft. Auf allen 3 Gebieten ergeben sich noch
häufig Übereinstimmungen mit dem afrz.; doch steht auch
in vielen Dingen die Sprache der 3 Mysterien schon zum
großen Teile auf neufrz. Standpunkte.

Lebenslauf.

Ich, Elisabeth Ante, röm.-kath. Konfession, Tochter des Oberingenieurs Anton Ante und seiner Gattin Elisabeth, geb. Frenz, wurde am 6. Januar 1884 zu Frankfurt a. M. Bockenheim geboren. Den ersten Unterricht erhielt ich in der höheren Mädchenschule zu Frankfurt a. M.-Bockenheim, woselbst ich 6 Jahre verblieb. Die letzten Jahre der höheren Mädchenschule absolvierte ich in der Elisabethenschule zu Frankfurt a. M. Von Ostern 1901 ab besuchte ich 5 Jahre die Realgymnasialkurse für Mädchen. Ostern 1906 erhielt ich an dem Musterrealgymnasium zu Frankfurt a. M. das Zeugnis der Reife. Dann bezog ich die Universität Heidelberg, um mich dem Studium der Philologie zu widmen und verblieb dort 2 Semester. Daran schlossen sich ein Semester in Genf, ein weiteres in München und ein drittes in Frankfurt a. M. an der Akademie für Handelswissenschaften. Darauf studierte ich bis Ostern 1910 wieder in Heidelberg. Nachdem ich mein Studium 2 Semester unterbrochen hatte, kehrte ich nach Heidelberg zurück, wo ich bis heute verblieb. Während meiner Studienjahre hörte ich Vorlesungen und beteiligte mich an den Uebungen der Herren Professoren: Neumann, Hoops, Oncken, Marcks, Schneegans, Strachan, Dietrich, Ehrismann, Windelband; Bouvier, Seitz, Duproix, Bally, Sechehaye, Thudichum; Heigel, Grauert, Jordan, Sieper, Schick, Muncker, Breymann, Wells, Simon, Morf, Curtis, Ott, Küntzel.

Allen diesen Herren bin ich zu aufrichtigem Danke verpflichtet; ganz besonders aber Herrn Geheimrat Neumann, der mich bei meiner Arbeit jederzeit auf das bereitwilligste und freundlichste unterstützt hat.

9 783750 146891